仁科まさき

あなたにもある、家族を癒す優しい力

マイホーム・レイキ

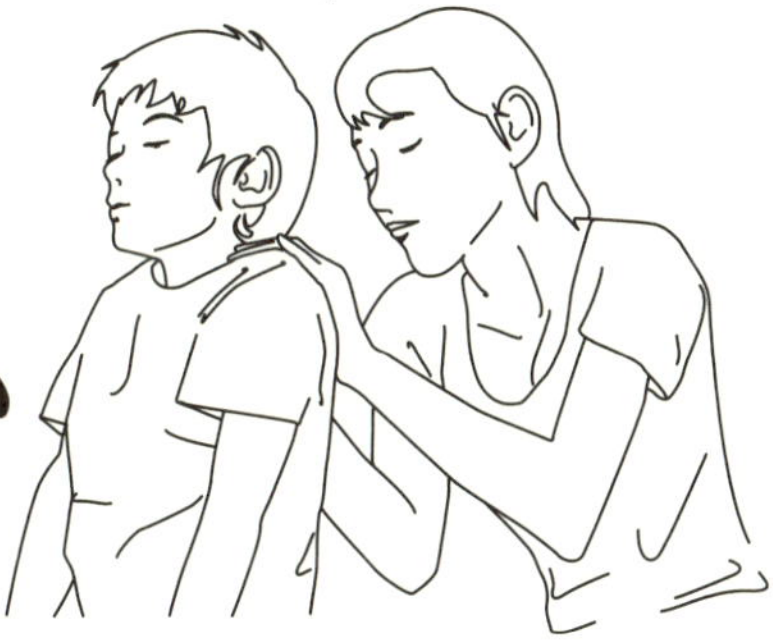

BAB JAPAN

はじめに

これは全く新しいタイプのレイキの本です。

この本は、家族の不調のケアや、病気の予防など、レイキで健康を守ることにスポットを当てた、これまであまりなかったタイプの本です。レイキの本来の実力を知ってもらい、日常で活用していただくために書きました。読者の好奇心を刺激するだけの本ではなく、実際に家庭などの現場で、健康維持に役立つ、具体的な情報を数多く盛り込みました。

レイキは大正時代に日本で生れた「気」を活用したセラピーです。宗教や幽霊とは関係ありません。戦前は、家庭内での健康維持や病気の治療にまで広く活用されて、その実力を発揮していました。国内では、戦争・敗戦・占領のため普及が絶たれてしまいましたが、逆に欧米では1980年代から非常に広く普及しました。

しかし、レイキがヒーリング、癒しの用途で広まってゆくにつれて、本来持っている家庭内療法としての側面が過小評価されて、その用途も癒しに限定されることが多くなりました。出版されるレイキの本といえば、癒しやヒーリングなど、スピリチュアルなことが好きな人たちに的を絞ったものが大部分でした。レイキは、一般の人が多大な恩恵を受ける実力を持ちながらも、歴史的な経緯で、普通の人からは隔離されたともいえる残念な状況となってしまいました。

今日、日本の医療制度や保険制度は大きな曲がり角に来ています。レイキは、これを打開するための重要な解決策の一つであると私は確信しています。この本によって、日常でレイキを使ってゆく人が増え、多くの人の健康にプラスになることを願っております。

仁科まさき

第1章：レイキは自然のエネルギー

レイキは自然体になると、
自然に人の手から流れ出し、
それがセラピーとして活用できます。

レイキは誰もが持っている気のエネルギー

驚かれるかもしれませんが、実は、誰でもリラックスして、穏やかな気持ちでいると、手からある程度のレイキが出ているのです。レイキという言葉を知らなくても、これは万人に共通な現象で、本当は大変に身近なものなのです。そして、その力を活性化させると、セラピーとして活用できるようになります。

レイキは、大正末期に療法の一つとして日本で生まれ、それが今や世界中に広まって、いろいろな国で非常に多くの人に使われています。

欧米では、終末期の看護や一般病院でも採り入れているところがあります。癒しやヒーリングとしても広く利用されています。

日本での普及は、第二次大戦とそれに続く占領で中断されてしまいましたが、１９９０年代から急速に普及が始まりました。今では、プロのセラピストや療法士などのあいだにも広く普及し始め、また家庭内療法としても認知されるようになってきました。

今日、私たちは健康と医療の深刻な問題を抱えています。急速に進む高齢化社会、医療保険制度の欠陥、家計に過大な負担となっている医療費・保険費。レイキはこれらの問題を大きく軽減する決め手の一つとなり得るものです。

レイキは、もともと漢字の「霊気」から来ています。「霊気」という熟語自体は、たとえば「霊気に満ちた深い森林の空気が……」などのように昔から使われていますが、ここでは「何か不思議な力を持った気のエネルギー」という意味になります。

「霊」という字は本来「はかり知ることのできない力、目に見えない不思議な力を持ったもの」を意味しています。熟語としては、霊峰、霊薬、霊水、霊験、霊鳥、霊長類、霊雨、霊泉、など多くの良い意味の言葉があります。

「気」という字を使った言葉は、日本語には頻繁に出てきます。電気、磁気、空気、湿気、天気、など目に見えないモノやエネルギーを意味する場合もあります。元気、活気、精気、気になる、気のせい、気が付く、気を使う、気が滅入る、気をつける、気に入る、気が進まない、などと直感的・精神的なエネルギーの意味で使う場合もあります。これらの気の表現は、英語などに直訳することが難しい日本語独特の言い回しです。

私たち日本民族は、知らず知らずのうちに「気」のお世話になっているのです。その先人たちの感覚が、ごく自然な日常の日本語になっているのでしょう。

レイキは身体の生理的な機能

レイキは人の身体に手を当てることで使用します。「手当て療法」の一つです。力んだり、念を送ったりせずに、ただ心を穏やかにして、軽く優しく手を当てるだけです。自然体になったときに、自然に出るのがレイキです。

昔から、聖者や悟りを開いたような偉い人、キリストや仏陀のような人は、手当てをして人々を癒しました。私たちも日常で、痛みや不快感があるときは、自然にそこへ手を当てることがあります。

日本語には、治すという意味で「手当てする」という言葉がありますが、これも偶然ではありません。もともと、人は誰でも療法として使える能力を生まれながらにして備えている、というのがレイキの根底にある考え方です。

最近では町のあちこちに「気功療法」「気功整体」などの看板を目にしませんか？　健康法としての「太極拳」も「気功」と関係しています。

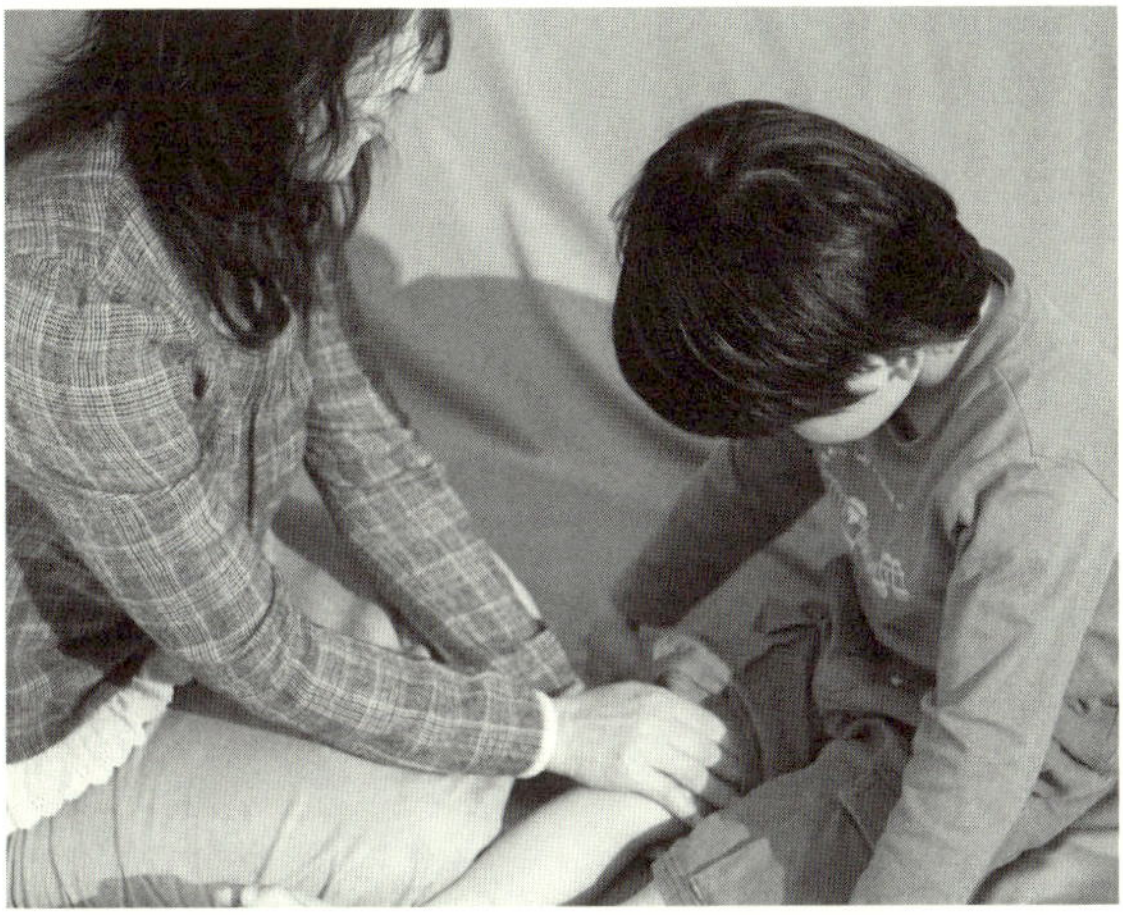

この気功も気を使った療法ですが、レイキと何が違うのでしょうか？

実は、気功は人間が作り出す念や意識・意図を使います。

一方、レイキはもともと誰にでも多少は流れているもの、人間を含む全ての生き物に共通して流れている普遍的なエネルギーです。その普段流れているものをそのまま使うだけ！　だからレイキは誰でも使うことが出来るのです。

気功の気は人が作り出すものですから、かなりの修行や訓練が要求されますが、レイキは、すでにあるものを利用するだけなので、誰でも簡単に使えるようになります。

誰でもレイキが使えるようにできている

誰でも本人が何も知らなくても、多かれ少なかれレイキが流れています。だからケガをしたときや、具合の悪い部分があるときに、自然とそこに手を当てたくなるのは、その潜在力を無意識のうちに使おうとしているのです。それが素朴な手当て療法ということです。

つまり、レイキは皆が生まれつき持っている生理的な機能なのです。ただ普段、不健康な生活をしたり、不自然な食べ物を食べたり、精神的に歪んだところがあったり、しょっちゅう怒ったり心配したりしていると、身体のレイキの流れが悪くなります。

聖人や悟りを開いた人が、手当て療法ができるのはこの逆の状態ということです。

普通の人の場合は、肉体的・精神的な履歴によって、レイキの流れにどうしても個人差が生じます。本人が知らなくてもレイキが沢山出ている人もいますし、使いたくても出る量が少ない人もいます。そのままでは必ずしも実用的に使えない場合があります。

これを大幅に改善するのが「アチューンメント（attunement）」というテクニックです。昔はこれを「霊授」と呼んでいました。

このアチューンメントあるいは霊授は、レイキの使える人が、流れの悪い人の身体にレイキを流してあげる作業です。頭頂や手などの「気の出入り口」に、しっかりとレイキを流してあげると、その人のレイキの流れが大きく改善して、レイキが自然に使えるようになるのです。

これはたとえると、汚れていて流れの悪いパイプに、きれいな水をザーッと流すと、汚れが落ちて通りが良くなるのに似ています。そうすることで、誰でもレイキが使えるようになります。アチューンメントを受けたのにレイキが出ないという人はいません。なぜなら、誰でも生まれつき、身体がそのような能力を備えているからです。レイキは、人が手で何かを握るのができるように、誰でも持っている生理的な力です。

レイキの流れが良くなると、特別なことをしなくても、リラックスして自然体になれば、自動的にレイキが出るようになります。自然体にしている時に自然に「出る」のがレイキです。「出す」とか、「送る」とかの意識は必要ありません。

このように言うと、なんとなく頼りない感じがして、「そんなものがいったい何の役に立つのか」と思われるかもしれませんが、まさにそこにこそレイキの秘密があると言っても過言ではありません。この自然に出る気が、療法としての効果を持っているのです。

私たちは「何か特別な訓練を積み重ねないと素晴らしいことができない」とか、「人間が普通にできることは、大したことではない」と無意識的に思いがちです。レイキを使ってゆくと「普通の人が簡単に素晴らしいことができる」という深遠な事実を、自ら体験することになります。

自己治癒力をアップし、不調も感知できる

レイキが使えるようになると、実にいろいろなことが可能になります。身体の不調、ケガ、

疲労、コリなどを簡単にケアできます。手を当てて使うという単純な方法ですから、準備や道具もいらず、自分にも家族にも、日常的に気軽に使えます。そして、これまでよりも病気にかかる回数が減ってゆくことでしょう。次章で詳しく説明してゆきますが、レイキは心身の自己治癒力を活性化させることで、このような作用が生まれるのです。

また、レイキは精神面にも大きな作用があります。これが癒しやヒーリングとして頻繁に使われている

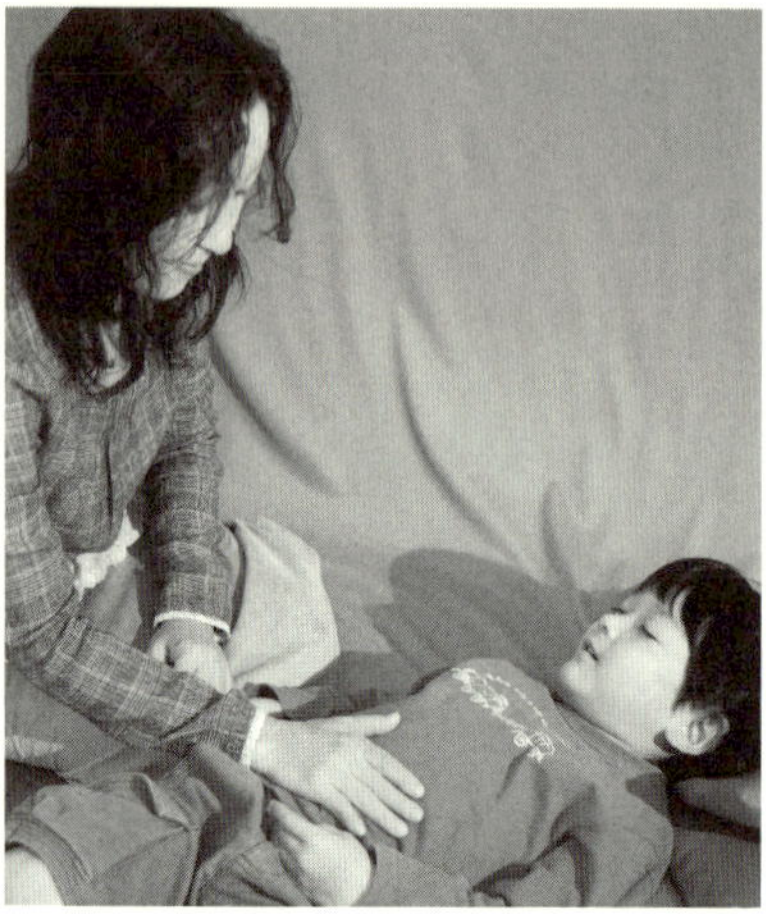

理由の一つでもあります。

この数年、心の問題を抱えている人が驚くほど増えました。レイキは心と身体に一体として作用します。ストレスの多いとき、悩みがあるとき、元気のないときに、メンタルに必要なエネルギーを補充してくれます。レイキを日常的に使ってゆくことで、心の状態も改善し、うつ病や心身症に陥る前に、対処できるようになります。

加えて、第6章でお話しするように、レイキには体の不調箇所を見つける方法があります。

これは、まだ身体の症状として現われていない段階からでも、見つけることが可能です。腎臓・肝臓・膵臓といった症状が出にくい臓器でも、少し疲れたという程度から不調を感知できるようになります。医師が要注意と判断する前の段階で見つけることができるのです。そういった段階でレイキをすることで、病気の強力な予防ができます。

レイキ普及の紆余曲折

こんなに素晴らしいものだったら、レイキはなぜもっと一般に知られていないのでしょう。レイキが現在あまり一般的ではない背景には、日本、そして世界の歴史そのものが影響しています。その経緯も含め、レイキの歴史を簡単にご紹介しましょう。

手から出る気を使った「手当て療法」は、古代からいろいろな国で実践されていました。人の手からは自然と気が出ること、そしてそれが療法として使えることは、直感的に多くの人が気づいていました。日本語で「手当て」が「治す」という意味に使われているのは、そういった背景があります。

しかし、「手当て」が体系化されて、技術として世代を超えて伝えられることは多くありませんでした。また、神秘的に感じる面があるため、宗教と結び付けて使われることもありました。さらに、気功のように人が作り出す気と混合して実践されている場合もありました。今の形の純粋なレイキというのは、レイキ以前には確立されていなかったのです。

日本では、明治・大正時代に「霊術家」と呼ばれる人たちが、手当て療法や手かざし療法を実践していました。また、新宗教と呼ばれる、古い神道をベースにした宗教家達も、手当て療法を取り入れていました。

しかし、レイキは霊術家や新宗教との直接のつながりはありません。これは次に見るように、レイキは偶然に発見されたからです。

レイキは偶然、自由な形で見つけられた

レイキは霊気として、臼井甕男《うすいみかお》（1865～1926）氏によって、世界で初めて今日の形で始められました。臼井氏の経歴は、自伝もなく詳細がわかっていませんが、以下のことは墓石の隣に建てられた石碑に記されています。

臼井氏は戦国時代に勢力のあった千葉一族の家系で、その武家としての環境もあり、非常に勉強家だったということです。職業的には、会社員、公務員、実業家、新聞記者、政治家秘書、宗教（天台宗）の布教師、刑務所の教戒師、と転々としたようです。この間に、霊術家や新宗

教との交流は全くなかったようです。

そして、悟りを開きたいと決心し、禅寺で三年間の修業をしますが、それでも悟りが得られず、悩んだ末に、京都の鞍馬山で断食をします。臼井氏は数週間の断食の中で、神秘的な体験をし、悟りの感覚が得られたのです。

臼井甕男（1865〜1926）

この逸話の中でも興味深いのは、臼井氏は療法を極めようとして、霊気を見つけたのではなく、偶然見つけたということです。

伝えられているところによると、悟りを得たあと、鞍馬山を下山する途中で、木の根に足を取られて、足の爪が剥がれかけるケガをします。しかし何気なく、その箇所に手を当てていたら、自然と治ってしまったという体験をします。

この話は眉唾的に聞こえるかもしれませんが、レイキはケガの時は、その直後に使用すると驚くほど治癒力を活性化するのです。体験談（P25）にあるように、臼井先生と同様な体験をした人もいます。

この臼井氏の体験は、レイキには儀式や精神統一などの準備も必要なく、念ずる必要もなく、ただ自然体で手を当てればよいという特徴が端的に現われています。何も意識しなくても気が出る、というのは信じにくいですが、これがレイキの本質であり、臼井氏は偶然にその本質に気がついたのです。私がこの本で、ご紹介するレイキの使い方は、この臼井氏の初めての霊気体験そのままのものです。そして、このような体験は特殊なものではなく、レイキが使えれば誰にでもできるのです。

これに驚いた臼井氏は下山して、家族などで実験をして、これが療法として使えることに確信を持ち、あとは霊気療法として全力で実践してゆくことになったのです。これが大正11年、1922年のことです。

その後、臼井氏は「臼井霊気療法学会」を作り、施療や指導を行なってゆきました。

特徴的なのは、この臼井霊気療法学会は、責任ある立場を帝国海軍の少将などが担っていたところでした。この詳しい経緯はわかっていませんが、社会的な高い地位を保って、活動していたのです。

臼井霊気療法学会の会員数は、残っている名簿で確認されているだけでも1930年に7000名の会員がいました。また、当時はこの学会からスピンアウトして、独自の手当て療法として有名になった療法家もおり、霊気系の手当て療法は、少なくとも5万人程度が実践していたのではないかと、推定できます。

戦争・占領で国内では衰退

この様に、戦前は活発に使われていましたが、太平洋戦争・敗戦・占領で普及が中断されてしまいました。特に、占領中に軍関係者は公職追放などをうけ、戦争裁判の対象になる可能性もありましたから、海軍の上級メンバーが関与していた臼井霊気療法学会は実質的に活動できなくなりました。

また、ＧＨＱの代替療法の禁止政策も追い打ちをかけ、対外的な活動は一切停止し、現在に至っています。加えて、敗戦・占領は日本人の価値観全体に大きく影響し、欧米文化重視、科学的思考重視の考え方が主流となり、手当て療法は急速に廃れていってしまいました。

霊気は世界へ

国内では、この様に大変に残念な経緯になりましたが、霊気は日米開戦の3年前にハワイへ伝えられていました。臼井霊気療法学会には、当初20名の師範がいましたが、その一人に海軍大佐の林忠次郎氏がいました。

林氏は、霊気の療法的側面を重視し、普及をしてゆきましたが、ハワイの日系二世の高田はわよ女史に霊気を伝授しました。高田女史は、戦中・戦後も霊気を捨てることなく、「Reiki」としてハワイで細々と活動を継続しました。高田女史は22名の指導者を育成し、1980年に亡くなりましたが、この22名が米国で団体を設立し、普及を行なってゆきます。

折しも、欧米では、これまでの科学主義、物質主義一辺倒の考えが崩れ、ニューエイジブームが起こり、精神世界・スピリチュアルな考え方も普及し、レイキもそれに合わせて膨大な人たちに知られるようになりました。今日、レイキが知られていない国のほうが少数になっており、600万人以上の使用者がいると推定されています。

日本ではまだまだ新しいレイキ

1980年代に海外で広まったReikiが日本へ里帰りし、「レイキ」として国内の普及が本格的に始まったのは、1990年代に入ってからです。本家本元の日本で、まだ一般の人への認知度が低いのはこのためなのです。

(※霊気・レイキの詳細な歴史に関しては、別の拙著「日本と霊気、そしてレイキ」(デザインエッグ社)が参考になると思います。)

体験談「子供のケガ、娘、妹へのレイキ（東京都K・Yさん）」

先日、子供会で、友達に踏まれて足の親指の爪がはがれた子がいました。土曜日の夜で病院も開いていません。お母様が心配して消毒液をつけますが、その子は爪の痛みに泣き止まず、とっさに私はレイキしました。レイキを始めると痛みが消えるので、お子さんはぴたっと泣き止みました。お母様はビックリです。20分位レイキすると、はがれた爪はくっつきました。翌日までに計3回、遠隔でその子の爪にレイキを送りました。幸い化膿もせずそのまま治ったので、月曜日になっても病院に行かずに済んだそうです。

レイキを学ぶ前は、熱、発疹など、身体に症状が表れるまでは不調に気付くことは出来ませんでした。症状が出て初めて病気だとわかり、あわてて薬を服用する、病院に行く、または、病院に行こうと思っても夜間や休日で開いておらず不安な一夜を過ごす、などということがありました。そしてそれを当たり前のことと思っていました。

ところがレイキを習ってからはこんなことがありました。ある日、娘の頭に触れると、たまたまヒビキがありましたが、本人は何ともないと言います。とりあえず30分レイキすると、ヒビキは消えました。

「レイキしてもらったら、急に頭がスッキリした。そういえば、なんとなく今日は一日だるかった。」

などと娘は言うのです。自覚はなくても、疲れか風邪の前兆だったのだと思います。症状が出る前にレイキをすると、症状が出てからよりも、ずっと簡単に健康に戻ります。結果、薬を使ったり病院に行ったりせずに済む場合が数多くあり、お金も時間も節約できて本当に助かっています。


レベルⅡになり、私は練習も兼ねて、離れた土地に住む妹に毎日レイキを遠隔で送りました。妹はリューマチがあるので、常にどこかが痛いのですが、レイキを送るようになってから、前日の痛みを翌日には持ち越さないようになったと喜んでいました。

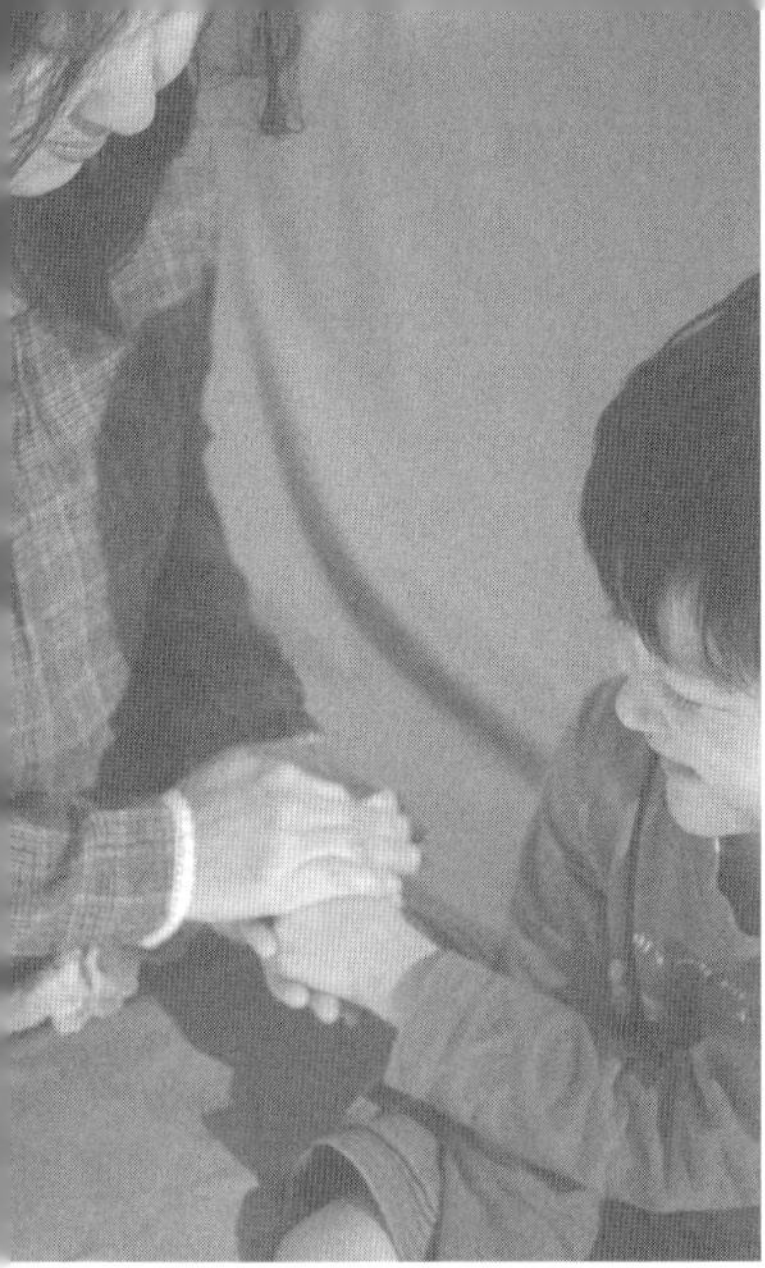

第2章：レイキが活きるとき

レイキは自己治癒力を活性化し、
体と心の健康を取り戻します。
幼児、子供、高齢者、妊婦にも
安全に使用でき、
家庭内療法として最適です。

レイキは自己治癒力を活性化する

前章でお話ししたように、レイキのことを知らなくても、誰の身体にも多少のレイキが流れています。すべての生き物に共通して流れているとても普遍的なエネルギーです。生き物が生きていく過程全般で必要なエネルギーです。電化製品に電気を送るのに似ています。ですから、レイキにはあらかじめ決まった意図がありません。「この人のこの部分を治そう」「相手をこの様に変えよう」などの具体的な意図がないのです【A】。

レイキのエネルギーは意図がないからこそ、それを受け取った人の身体や心が、その時の必要に応じて自由に使えるのです。たとえば、ケガをしたり、不調箇所があって、身体が治そうとしていれば、レイキはそれを治すためのエネルギーとして使われます。心が病んでいれば、それを助ける形で使われていきます。心身の自己治癒力が活性化されるのです。

昨今ではほんの些細な風邪さえも、医者にかかって、抗生物質などの高価な薬を服用するのが当たり前になっていますが、自己治癒力は活性化されると大きな力になります。たとえば、子供が夜中に風邪で発熱し、レイキを使って、まもなく熱が下がり、翌日は元気に登校すると

いう経験を、私も含めて多くのお母さんたちがしています。
レイキは、人間が生まれつき持っている自己治癒力を、高いレベルまで活性化してくれるのです。また、もしも精神的に落ち込んでいてエネルギーが不足していれば、それを補うように使われてゆきます。激しい緊張があれば、心を緩める助けをしてくれるでしょう。反対にダラダラとしてやる気が出なければ、やる気を出すためのエネルギーとして強壮作用が起きるでしょう。もしも、体も心も元気でピンピンしていれば、レイキはそのまま流れ出ていってしまいます。

【A】 レイキ療法では、短時間だけ念を伝える「念達法」、整えた意図を送るシンボルやマントラの補助的技法があります。純粋なレイキエネルギーの部分は意図がありません。

その人の身体と心に必要な形で使われてゆく、それが意図のない自然なエネルギー「レイキ」の特徴です。

この「意図のない」というのは、最初はわかりにくいかもしれません。

私たちは、日常あまりにも意図に満ちた生活をしています。意図がない＝力がない、意図がない＝頼りない、意図がない＝そんなものが効くはずがない、そういう図式が私たちの頭の中にありがちです。レイキを始めたばかりの人は「意図がないのに作用があるのはおかしい」と疑問を持たれる場合もありますが、それこそがまさにレイキの真実といってもよいぐらいです。

レイキをするときは、もちろん相手や自分が良くなってほしいから手を当てるわけですが、レイキをしている最中は、ボーッと穏やかな気持ちになるだけで十分ですし、実はそれが最良なのです。

意図がないということには他にもメリットがあります。

レイキをどう使うかは受け手に任されていますから、副作用や害がありませんし、ほかのセラピーでいうところの禁忌（使ってはいけない場合）に相当するものがありません。

これは専門知識の豊富でない、ごくごく一般の人が、家庭などで毎日使用しても問題が起きないということです。その簡易さ、安全さ、作用の確実さ、それらを総合すると家庭内療法としてこれ以上のものはないのではないかと思います。

レイキは自身のエネルギーは使わない

レイキは使うことによって、使った人が疲れるということがありません。レイキは自分自身のエネルギーを使わないのです。むしろレイキを使うと、使う本人にもレイキが流れて、心身に良い作用があります。

たとえば人にマッサージをすれば、身体を使った分の疲労はどうしても出ます。レイキはそういうことがなく、逆に相手にレイキをしてあげると、自分の心身にもプラスになるのです。

普通、世の中でありがちなのは、人のために何かをしてあげると、自分の何かを消費するということです。つまり、私たちは「プラス＋マイナス＝０」の現実感覚で生活していますが、レイキは「プラス＋プラス＝さらにプラス」の世界ということなのです。レイキは人を癒すということと、自分を癒すということが、相反することなく、しかも相互に強化し合うのです。

この世の中、他人の利益と自分の利益が相反することが多いのですが、レイキは自分を癒すことと、他人を癒すことが、うまく統合される素晴らしさがあるのです。

レイキを使っていくと、他人が自分を必要としていることが感じ取れるようになりますが、それと同時に、自分も他人を必要としていることが、深く理解できるようになります。こういった認識や実感は、心理的な面でもたいへんプラスになります。

プラスα 気功との違い

気功も気を使う療法ですが、レイキと違って人間が作り出す気を使ってゆきます。

人の意図・念・意識が気功の気を生み出します。つまり、気功は意図を持ったエネルギーです。

一方、レイキは意図のないエネルギーですから、その作用は相手の体に任されています。それは逆に言うと、レイキは決められた時間内に、効果がおもてに現われる保証がないということでもあります。施術院などで、決められた時間内に効果が出てほしいようなときには、気功は有効に活用できます。

ただ、意図があると、相手と合わないということも起こります。レイキは自然な意図のないエネルギーですから、相手と合う合わないということがありません【B】。

気功の気は気功師自身が作り出していますから、その気功師のレベルの高い低いが、そのままエネルギーの量や質に反映されます。

一方、レイキはその人が作り出しているわけではありませんから、今日レイキを習ったという人からレイキを受けても、何も問題は起こりません。

気功や他のヒーリングでは、場合によっては、宇宙、太陽などからエネルギーを受け取るというイメージをしたり、天使や神などの存在とつながるという意識をして、気を送るときがあります。実はこれも、弱いですが意図を持ってエネルギーを意識的に作っているのです。こういった場合、意識する対象によって無限の種類が可能です。

しかし、レイキは自然体になったときに自然に流れるエネルギーですから、何かを意識したり、イメージする必要は全くありません。宇宙やレイキ創始者を意識することも全く必要ありません。

エネルギーの収支についてですが、気功の場合は、自分のエネルギーを相手にあげてしまいますから、施療すればするほど自分のエネルギーは減ります。プラス＋マイナス＝0の世界です。実際に気功をしている人から直接に話を伺いますが、自身の体調の維持に特別な配慮が必要だそうです。そのため気功では、樹木や元気な他人から気をもらうというテクニックもあるぐらいです。日本の気功師さんが中国の有名な気功師さんを訪ねたときに、「本当に真剣に施療した場合は、一日に一人が限度だ」といわれたという話もあるぐらいです［文献（12）］。

【B】レイキを送る側も人ですから、その人独特の気や雰囲気があり、人格的・性格的に相手と合わないという場合はあります。

レイキで不調箇所が見つかる

レイキには単にエネルギーを送るだけではなく、体の不調箇所を見つけるテクニックがあります。

体の悪い箇所がレイキを受けると、信号のようなものを発したり、治癒活動が始まって温度が上がるなどの反応を起こします。これが、送る人の手にピリピリと感じたり、熱感として感じたりします。この手に生まれる感覚を「ヒビキ【C】」と呼んでいます。

このヒビキは病気になるずっと前の状態、ちょっと調子が悪い、ちょっと疲れている、ちょっと凝っている、という程度からわかります。また、症状の出にくい肝臓・腎臓・膵臓などでも、少し疲れたという程度でヒビキが明確に現れます。

つまり、病気になる前に不調箇所を見つけて、まだ自己治癒力が十分働く段階でレイキをしてあげ、容易に回復させることができるのです。

これは言葉で書くより遙かに有用で、病気の予防や健康維持のために非常に強力な武器になります。このようなことができるのは、レイキの他には聞いたことがありません。

このヒビキを感知できるのと、そうでないのは、レイキのありがたみに、天と地ほどの差が出てきます。ヒビキを感じ取るのは非常に重要な技法なので、第6章で詳しく説明してゆきます。

応用的な使い方――離れた相手へのセラピー

この本では主に、家庭内療法としての側面をご紹介していますが、レイキは実に広範な使用法があります。これらは、レイキの講座を受講していただければ教わりますが、ここでは簡単に遠隔セラピーのことを紹介しましょう。

レイキは、地理的に離れた人へも遠隔で送ることができます。具合の悪い親族が離れて住んでいても、レイキが活用できるのです。

これは普通の人の感覚からすると、とんでもない、いかがわしい、アヤシイ、と思われるかもしれませんが、これが意外と簡単にできるのです。遠隔という技法はレイキに限ったものではなく、いろいろな文化で昔から行われています。

古神道でも密教でも似た技法があります。レイキの考え方から言えば「誰でも他の人に遠隔で接続することができる」ということです。

【C】伝統霊気では信号を出している悪い部分を「病腺」と呼びますが、この本では文献（3）に従って、手に感じる感覚の「ヒビキ」という表現を使います。

私たちは、科学的に理解できることだけが正しい事として、「そんなことできるはずがない」と頭から否定しまいがちです。しかし実際には、半日の講習を受けるだけで、その日の練習の中で遠隔がうまくいく受講生が多いのです。

気の感覚に慣れてくると、遠隔レイキを受けている人は、いま自分のどの部分にレイキが送られているか、わかるようになってきます。受ける人の体感と、送る側の送った箇所を照合すると、高い確率で一致するのが普通です。

また、遠隔はレイキを送るだけではなく、相手の悪い箇所からのヒビキを感じることもできます。離れた人の悪い所がわかるようになります。事前に症状を知らなくても、遠隔で悪い部分を指摘して本人に確認したり、遠隔でヒビキを見つけておいてから、対面で実際のヒビキを検知して、合致していたりと確認できます。

このように私が教えている講習中の体験、私自身の個人的体験、私のスクールの何百人という受講生の体験、世界中でレイキを実践している何百万人という人の体験で、実際に可能であるという確実な実証があります。これは、もともと誰でもそういった能力を持っているからに他なりません。

レイキの技法を使うと「できるはずがない」という思い込みが緩み、自然にできるようになるのです。

家庭内療法として活きる

円満な家庭であっても、家族の一人が病気になってしまうと、途端に家庭の平和が崩れ、家族全体にとって一大事になります。普段みんなが健康だと気が付きませんが、一人でも具合が悪くなると、それは家族全体の問題であることを痛感させられます。

病気になりやすいのは、疲れているのに無理をしたり、体力が落ちていたり、メンタルに弱っているときですが、その本人自身は気が付かない場合がよくあります。

実は、その人の体調管理に一番近い距離にいるのは、家族です。一緒に暮らしている家族が、日

常生活の中でそれに気付いて、ケアしてあげることが、病気を予防してゆく最良の環境になります。家族という単位は、健康維持をしてゆくためのとても大事な基盤です。（体験談P60、体験談P62など）

私たちの身体の中にある自己治癒力は、本格的な病気になる前でしたら、特に顕著に働きます。ですから、病気になる前の段階でレイキを使うと、容易に回復させることができます。

レイキを使うのには、準備も材料も必要ありませんし、費用もかかりません。ただ、手を当てるだけです。気軽に家庭の中で、どんな時でも使うことが出来ます。病気にならないように、家族の健康を維持してゆくことが、無料で簡単にできる、しかも害がない、特別な知識も必要ない、乳幼児や高齢者にも安全に使えます。

そんな都合の良い話があるものか、と疑いたくなるかもしれませんが、実はそうなのです。さらに驚くことに、誰でもその能力を持って生まれてきているという、常識ではすぐには信じにくい話なのです！　レイキは自分のエネルギーを使いませんから、お子さんでも使えるようになりますし、高齢であっても、自分がケアしてあげる側にもなれるのです。家庭内療法として、これ以上のものが考えられるでしょうか。もちろん一人暮らしであったとしても、自分自身にレイキを使って、自分の健康管理として使ってゆくことも出来ます。

「そんなうまい話が……？」と半信半疑でスタートしても、実際に家庭でレイキを使うようになると、驚くようなことをいろいろ体験してゆくでしょう。そして逆に「なんで、他の人はこれを知らないの？」と思うようになるでしょう。レイキを知らない人は、たいへんな損をしていると感じるようになります。

私はこれまで、何度となくレイキに助けられてきましたし、レイキを使わない家族の日常というのは、考えられないぐらいです。家庭でレイキを使う人が増えれば、一体どれだけの病気を防げるか、想像しただけでもはかり知れない恩恵があります。そして、それが私がこの本を書いた動機でもあります。レイキを出来るだけ多くの人に使ってほしい、特に家庭で家族に使ってほしい、そう切実に思うのです。

子供や高齢者にも安全

私がセラピーの世界に入ったのは、アロマセラピー【D】とリフレクソロジー【E】が最初でした。学校では、セラピーをしてはいけないケース（禁忌）を学びます。

【D】アロマセラピー：植物から採った精油を使った療法
【E】リフレクソロジー：足裏などの反射区を刺激する療法

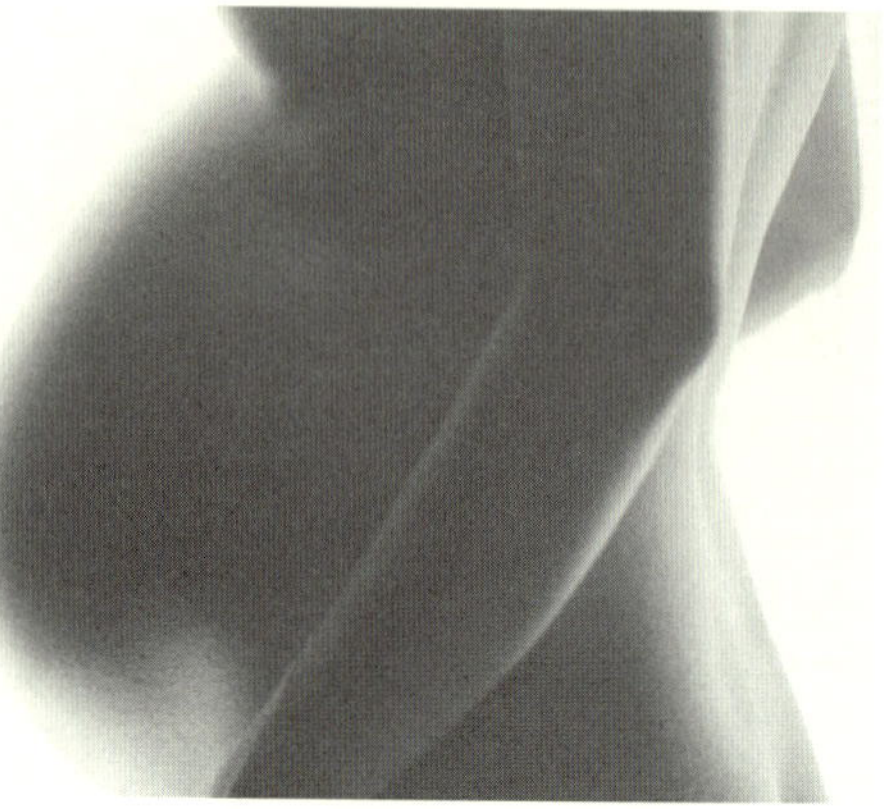

例えば、アロマテラピーでは体力が弱い場合や、精油に敏感な乳幼児・子供・高齢者などに対しては、いろいろな制約が多く、妊産婦に対しても多くの禁忌があります。

しかし現実には、このような人たちこそ、いろいろな面でケアを必要としているのです。家庭内療法としては、このような健康上の問題を抱えやすい人達にこそ、気軽に有効に使えなければ意味がありません。

セラピストとして、私は何とも歯がゆく感じることが少なくありませんでした。

しかし、レイキは乳幼児・子供・高齢者・妊産婦でも、なにも問題なく、いつも活用できます。

他のセラピーでは、それを使うために高度な知識を要求されますが、レイキはそういった知識もほとんど必要になりません。ごく普通のお母さんたちにも、安心して使ってもらえます。妊婦さんや、お腹の胎児に使うこともできます。

レイキを使えるようになったお母さんは、赤ちゃんがお腹にいる時から、成長して成人になるまで、レイキなしでの子育ては考えられないぐらいになります。戦前から霊気を使ってきたお母さんたちは、家庭の薬箱として霊気を使い、お医者さんにも滅多にかかる必要もなく、さらに親戚やご近所の不調までも面倒を見てきたとのことです。［文献（6）など］。

もし、乳幼児や幼児を扱う看護師・保育士さんたちがレイキを使えれば、現場で子供の具合が悪くなったとき、ケガをしたとき、即座にレイキを活用してもらうことができます。

私の子供も、たまに幼稚園でケガをして帰ってくることがありましたが、園の先生がレイキを使うことができたらと思うことが何度もありました。

さらに、レイキは今後、介護などの場面で積極的に使われるポテンシャルを持っています。

終末期のケアとして

禁忌の心配のないレイキは、医療で有効な方法がなくなってしまった末期患者の人に対しても、大きな助けになります。

そのようなケースでも、レイキを受けると精神的に楽になり、痛みや苦痛が軽減するものです。そして、医療でできることがなくなってしまっても、本人にとっては「最後の最後まで何かしてもらうことがある」、家族にとっては「最後の最後まで何かをしてあげることができる」のは、双方にとって心の深い支えになります。

自分の肉親が、もう医師には何もしてもらえない状態になり、ただ逝くのを見ているだけというのは大きな苦痛であり、心から悲しいことです。そのような時でも、自分の力を使って何かしてあげられることがあり、多少なりとも苦痛が軽減できるのですから、これは看護する側にとっても非常に助けになります。

家族にとって、直接自分の手で何かしてあげることがあるというのは、精神的に全く違った状態になります。これは、このようなケースでレイキを使った人に共通の感想です。それで結果的に肉親が亡くなってしまったとしても、逝ってしまったご本人の精神状態、それを看取った家族の精神状態、それぞれに大変な寄与があります。

欧米では、レイキが多くの施設や病院で終末期のケアとして使われていることから、この分野での有効性が確立されているのがわかります。

心の成長にも良い効果を発揮する

コミュニケーションも改善する

レイキは心身の自己治癒力を活性化するだけではなく、スキンシップとしても、すばらしいコミュニケーションをもたらします。

人間がお互いを理解するのは、言葉だけでは足りないことがしばしばあります。レイキは、レイキをすることで、自分にとってその人が大事だということが伝わるのです。子供に言葉を使わないで愛情を送ることもできますし、親に言葉を使わないで愛情を伝えることも出来ます。

私自身は40才近くになってからレイキを学びましたが、幸いに両親共に健在で、レイキをしてあげる機会を得ました。お互いにその年になって、体に触れる・触れられるのというのは気恥ずかしい面もありますが、有形無形に愛情が伝わるというのはとても実感できました。

これは夫婦のあいだでも似ています。夫婦で、ちょっとしたことで言い合いになったり、機嫌が悪くなることはよくあることですが、そういう時でもレイキをすると、お互いに穏やかな気持ちになり、それまでの怒りやこだわりが消えてしまうのです。

言葉ではコミュニケーションをとるのが難しい相手にも、レイキは有効に作用します。認知症やアルツハイマー病の高齢者、発達障害や自閉症の子供達などの助けにもなります（体験談P62）。レイキをしてもらうことで、心地よさや、自分が大事にされているという感覚が生まれて、コミュニケーションが円滑になるという報告を受けています。

精神面にも作用する

レイキは常に肉体面と精神面の両面に作用してゆきます。伝統霊気では「第一に心を癒し、第二に肉体を健全にし」、「霊肉一如」という表現で精神面も重視されていました［文献（2）］。

当時は今日のように、ストレスや精神的な問題は、社会的にも病理的にも、あまり認識されていませんでしたが、伝統霊気の創始者たちは、人間の肉体と心は不可分一体のものであることを、よく理解していたのです。

精神的に落ち込んでいるとき、ストレスが多いとき、悩んでいるとき、イライラしているとき、怒りが強いとき、悲しみが深いとき、などにレイキを受けると、そういった状態が軽減されて、いわゆる癒しの効果を生み出すのがレイキの特徴です。レイキを受けているその最中に、気持ちがよい、心地がよい、瞑想状態になるなどの体感があります。

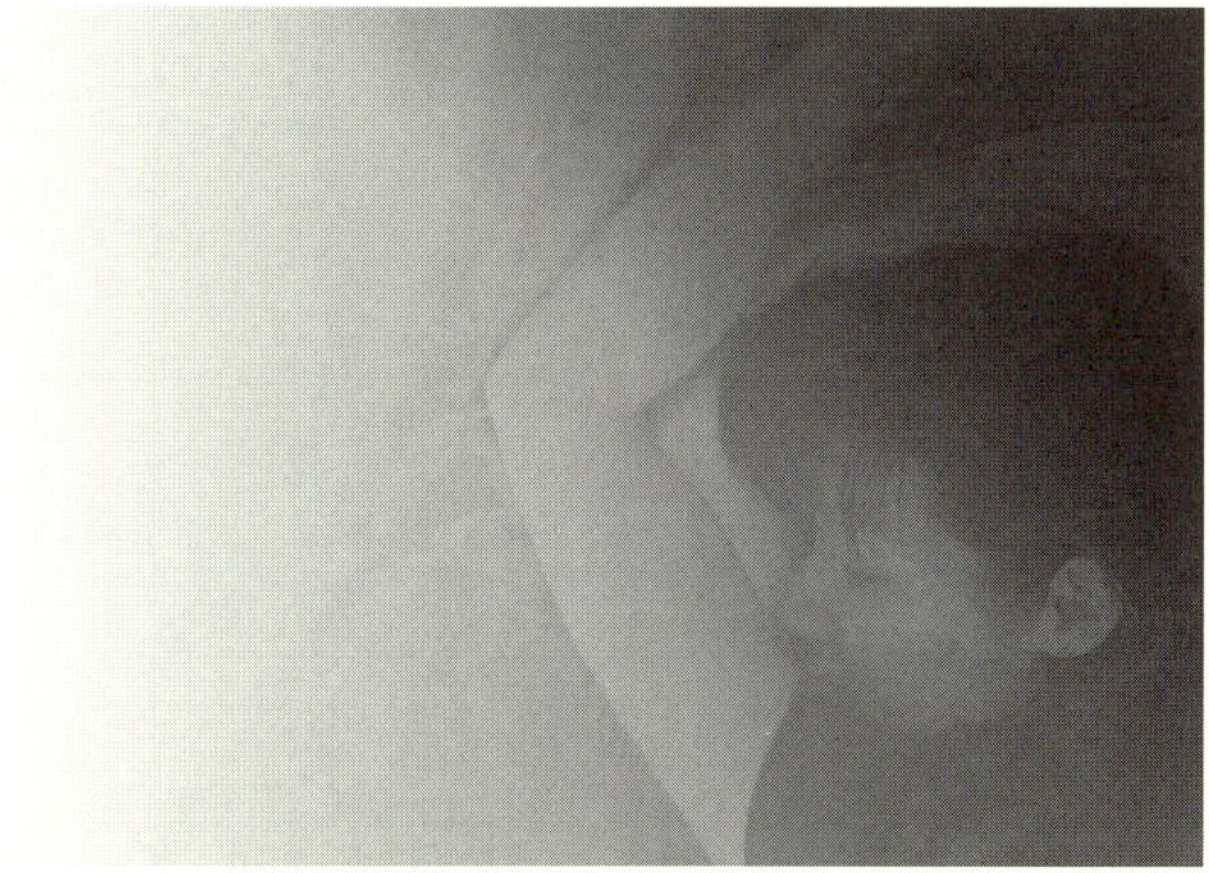

こういったことから、欧米ではレイキが療法ではなく、ヒーリングとして使われて広まってゆきました。今でも、世界中でヒーリングとしてレイキが活用されています。

ストレス社会への助けに

今の日本はストレスの時代と言っても過言ではありません。職場でも、家庭でも、一人暮らしでも、多くのストレスにさらされています。そして有効な対処法もないまま、多くの人が悩んで苦しんでいます。

1988～2006年の警察庁統計資料によると、自殺者は年間32000人前後を推移しています。これは毎日88人、実に16.4分毎に一人の計算になります。時計の長針がほぼ四分の一回転するごとに、誰かが自分の命を絶っているという驚くべき現実が、私たちの社会が抱えている実態なのです。

警視庁の調査では、自殺の原因・動機として下表の結果を出しています。心身症についての割合は書かれていませんが、危惧《きぐ》するべき程度であると想像できます。

自殺にまで至らなくても、心身症予備軍、心身症的な状態に陥りかけている人の数はまさに膨大で、これは国民病の一つであるともいえます。

日本ではカウンセリングを受けるという習慣がありませんし、抗うつ剤などの薬理療法は、問題を完全に解決できるだけの力はありません。有効な対処法というのは、確立されていません。

また身体の不調であっても、多くの場合は精神的なストレスがその遠因だったり、直接の原因だったりします。

レイキはメンタルな面にも直接作用してゆきますので、うつ的な状態であったり、パニック症的な状態であったり、心身症になる手前の状態の人達には、有効な助けになります。こういうケースでは、P122でご紹介するように、頭部や胸部周辺にレイキをしてあげれば、精神面に良い作用を及ぼします。

自殺の原因（警視庁調査）

健康問題	41%
経済・生活問題	29%
家庭問題	10%
勤務問題	7%
男女問題	3%
学校問題	1%

心の問題は、その人の物事に対する考え方、周りの人間関係、環境からも強い影響がありますから、レイキだけで問題が解決出来るとは思いませんが、有効な助けの一つであることには間違いありません。心と体の両方に作用するレイキは、今の時代に非常に必要とされていると思います（体験談P68）。

使う人の心にもプラスになる

私のセラピーに来られ、精神的な問題を抱えているクライアントさんは、自分の存在意義を見いだせないケースが少なくありません。自分はいったい何のために生きているのか、自分は生きている必要がないのではないか、などの自己否定感をもっている人が多くみられます。

そう言った方々でも、レイキが使えるようになると「自分でも人のために何かができる」ということが実感できるようになります。

私たちは、学校に行くと不幸にして「これができない、それが苦手、あれも不得意」などのように、自身のマイナス面にばかり目が行くようにしむけられます。競争の激しい社会に出れば、さらに一層その様に感じる場合があります。

レイキを学ぶと「できないこと」ではなく、「これができる」「あれもできる」「こんなこともできる」と、「できること」に目を向けさせてくれます。しかも「生まれつき、そういったことができる」と理解してゆきます。

レイキは、健康的に自然と自己肯定ができるようになります。こういった理由から、精神的な問題を抱えていた人でも、レイキを学び実践してゆくことで、自分に対する自信をとりもどし、他の人に対する感謝も生まれ、精神的な状態が自然と回復してゆくケースが少なくありません。

他のセラピーとの組み合わせでも活きる

どんな療法とも併用できる

レイキには排他性が全くありません。つまり、レイキは組み合わせてはいけないものが、何もないということです。これは、レイキが「意図のない自然なエネルギー」であるからこそです。意図があれば必ずそれと合わないものが出てきます。また、レイキは道具や消耗品を使わない、費用もかからない、自分自身のエネルギーを使わないので、組み合わせによるマイナス要素が発生しません。

ですから、いろいろな療法やヒーリングと組合わせることが可能です。すでに、アロマセラピー、リフレクソロジー、ホメオパシー【F】、オーラソーマ【G】、フラワーレメディー【H】などと、

【F】ホメオパシー：物質を極限まで希釈し、そのエネルギーだけを利用する療法
【G】オーラソーマ：色と香りのついたオイルを入れたボトルを使うヒーリング
【H】フラワーレメディー：花のエネルギーを水に転写したものを使うヒーリング

レイキを組み合わせて相乗効果を発揮させているセラピストやヒーラーが世界中に大勢います。

併用する例は昔からあり、実際に戦前から霊気を使っていた女性で、ホメオパシーと併用されていた人がいました。この他にも、鍼灸、整体、エステ、カウンセリング、占いなどと組み合わせて使っているプロフェッショナルが日々増加しています（体験談P60）。

プラスα レイキは自由で創造的

レイキは、単に代替療法、セラピー、ヒーリングの一つと捉えることもできますが、他と一線を画す特徴がいくつかあります。

たとえば、レイキには「〜してはいけない」「〜しないといけない」「○○をすると、△△のような悪いことが起こる」といった禁止令が一切ありません。つまり、レイキはどのように使っても、悪いことは起こりませんし、間違った使い方ができません。全くの初心者が使っても、必ずプラスの作用があるということです。

これは他の療法やセラピーをやっている人からは考えにくいことですが、レイキではそれが実現されているのです。禁止令がないため、画一的な使用法がなく、たとえ全くの初心者でも、各自が自分の直感や経験で創意工夫をして、使ってゆけばよいのです。

なぜこのようなことが可能なのかというと、それはこれまで説明したように、レイキは意図のないエネルギーに他ならないからです。

何か送り手の意図があれば、それは受ける相手によっては合わなかったり、良くない作用が起こる可能性もあります。しかしレイキの場合は、作用の起こり方は、それを受け取った人に完全に任されているので、禁止令が発生することはないのです。

これを反映して、他のセラピーでは禁忌（使ってはいけない場合）となる重病人や妊産婦、胎児・幼児などはまさにレイキの独壇場です。妊産婦の場合は、大正時代から、母体自身や胎児にレイキが使われてきました。実際、今日まで伝統霊気を使ってきた家系の人は、お腹にいた時にも、お母さんから日常的に霊気をしてもらっていたという人が多くいます。

そもそも、気の流れの良いお母さんでしたら、意識しなくても、母体には自然にレイキが流れています。また、重病人、とくに医療ではなにも施す方法がなくなってしまった後でも、亡くなるその瞬間まで、レイキをしてあげることができます。そのことによって死の苦痛を軽減したり、安らかに往生したり出来るのです。

レイキを使用するのに、留意するべきなのは数例挙げられますが、非常に特殊な場合です。

一つは、医療的に全身が麻酔下にある時です。レイキを受けると一般的に代謝が良くなったり、血流が良くなったりしますので、麻酔に影響を与えることがあります。

二つめは、骨折した時です。まず医師に行って、骨を正しい位置に接骨してもらうことが第一です。接骨前にレイキをすると、ずれたり曲がったままで、くっつく可能性があるからです。もちろん、接骨したあとは、たくさんレイキをしてあげます。

三つめは車の運転中や機械の操作をしている時ですが、眠気が起きる可能性がありますから、レイキは使いません。

レイキの作用は、神秘的と感じられ、科学的には理解できない効果が起こる場合もあるので、宗教で使われることもあります。「手当て療法」「手かざし療法」として取り入れている宗教もありますが、レイキは伝統霊気の出発点の時から宗教とは関係がありません。

レイキは誰にでもできますし、信じないといけないものは何もありません。宗教には必須の要素である禁止令もありません。ですから、そのままでは宗教にはなり得ないのです。

先ほども触れましたが、レイキには排他性が全くなく、何かと組み合わせてはいけないという制約がありません。レイキには、療法や手法の垣根を越えて使われてゆく自由さがあります。

さらに、レイキの自由さを象徴することに、レイキは組織的な制約を全く受けないということがあります。

レイキは、もともと臼井霊気療法学会という組織が実践していましたが、結果的にはその組織に束縛されることなく、自由に世界中に広まってしまいました。レイキのスクールや団体は世界中にありますが、その個々の規模や影響力は微々たるもので、誰かが誰かをコントロールするとか、制約をつけるということが、全く不可能な世界が出来上がってしまいました。

特に欧米に行くと「○○○レイキ」と称して、様々に変化を加えたレイキが多くみられます。これらは、レイキ以外のヒーリングの要素を組み入れたり、ヨーガの要素を組み入れたものです。これは元々のレイキが、非常に自由度が高いために可能になったのです。

このように多様性を生む一方、世界中で何百万人が実践しているレイキは、ある一定の枠組みで教えられており、実践されています。何となく自然に、皆の自由意志で一定の形になっているという、実に不思議な世界になっています。これはレイキが、世界中の人たちをまとめ上げる普遍性を持っている、ということだと思います。

むろん、こういった自由さにはマイナス要素もあります。スクールの内容やレベルがまちまちだったり、どこで学んだら良いかわからなかったり、レイキ実践者のレベルがピンキリだったり、資格の認定がいい加減だったり、などの問題が見られます。

しかし、私は組織的な制約を受けないことのありがたさは、何物にも代え難いと感じています。

セラピスト・施療師などにとって

他の療法と併用できるということに加えて、人に触れて何かをしてあげる職業の場合は、さらにメリットがあります。

重い状態のクライアントを扱ったら、施術する自分のほうが疲れ切ってしまった、不調になってしまった、というのを聞いたことがありますか？　不調や元気のないクライアントに触れる場合、相手を癒そう、直そうと一生懸命に努力して、自分のエネルギーが奪われる、自分の気のエネルギーを消費してしまう、自分が疲れて不調になってしまうことがあります。

その結果、自身が日常的な疲労を抱えて、病気や故障しがちになる場合があります。これは高齢者をケアする立場の人にも当てはまります。このような問題は、その人の職業人としての寿命にも大きく影響しますので、大変なことです。

レイキは、その対象に作用させるばかりではなく、自分自身の心身にも良い作用をもたらします。レイキは他人にしてあげると、その際に自分にもレイキのエネルギーが流れるのです。

セラピストや施術者は、もしレイキが出来れば、他人に触れているときに、自分にも自然にレイキが流れ、ほぼ自動的にエネルギーが補給されます。そのため、重い状態の人を扱っても、影響を受けにくくなり、疲れにくくなるのです。実際、レイキを習った人からは、セラピーや施療を行っても疲れにくくなった、という感想をもらうことが非常に多くあります。

カウンセラーにとって

相談を職業とする人たちには、補助としてレイキを使っていただくことが可能です。占い師でレイキを取り入れ、実績をあげている人もいらっしゃいます。

私は心理カウンセラーの認定を受けており、心理面でのカウンセリングを実施するケースもありますが、その時にレイキを合わせて施療するのは、大変にプラスになります。

レイキには、ユング心理学に似た世界観があったり、ゲシュタルト療法【I】や森田療法【J】のような視点があったりなど、心理学との整合性が高いと感じています。

カウンセリングは基本的に言葉を使ったテクニックですが、クライアントによっては必ずしもそれが最良とは限りません。

レイキは言葉でのコミュニケーションやカウンセリングが難しい場合でも、必ず精神面への

【I】「今を生きる」ことを大事にし、自分の今感じている五感や喜怒哀楽に気づき、表現してゆく療法。
【J】森田正馬氏が戦前に確立し、悩みや苦しみも含めて、あるがままの、その人を認めてゆく療法。

効果を期待できます。

さらに、日本では米国のようにカウンセリングを受けるということが普及していません。日本人は、自力で解決しようとする意志が強かったり、自分の悩みをさらけ出すのは、恥ずかしい、嫌だという気持ちが強いためではないかと想像します。加えて、日本ではまだカウンセラーの質にバラツキが多く、選ぶことが難しいという問題もあります。

良いカウンセリングが受けられれば、改善する可能性が高いのに、こういった状況からカウンセリングを受ける気にならないというケースが、かなり見られます。

しかし、このような場合でもレイキはちゃんと使えます。

私の生徒さんが10年来の心身症のクライアントを扱った例があります。クライアント本人は治りたいという意志がなく、カウンセリングでは良い対応ができませんでした。カウンセリングに行く＝治さなければならない、というプレッシャーが生まれるようです。その生徒さんは、とりあえず肩こりや、消化器系の不調をケアするという理由でレイキをしてあげましたが、必ず頭部へのレイキも併用しました。何回かレイキすることで、少しずつ気分や考え方が前向きになり、外出できなかったのが徐々にできるようになった、とうれしい変化が起こりました。

カウンセラーがレイキの効果を知っていて、レイキセラピストを紹介したり、自身で使えて併用できれば、それによって多くのクライアントが恩恵を受けると私は確信しています。

アスリートにとって

身体を酷使するアスリートにとっては、日常の身体のメンテナンスはパフォーマンスを左右し、時には選手の寿命をも左右する重要な事柄です。

私の知る範囲では、レイキを役に立てているアスリートはまだいないようですが、薬や物理的な刺激を与えないレイキは、アスリートと親和性が高いのではないかと思います。

アスリートではないですが、プロのクラシックバレーのダンサーで、実際にレイキを身体のメンテナンスに使っている人もいます。

医師にとって

私から見るととても残念なことですが、西洋医療に携わる医師で、レイキを現場で使っている人はいないと思います。

医師にとって、おそらく非常に役に立つと思うのは、ヒビキを感知することで悪い部分を見つけるという方法です。ヒビキを感じ取ることは、聴診器を使って、心音や呼吸音を聴くのと極端には違わないかもしれません。

たとえば、肝臓はレイキに対して良く反応します。ちょっと疲れた程度から熱感が出ますし、さらに悪くなれば軽度のピリピリ感が感じられます。この段階では血液検査をしても、一応は正常値の範囲に入ることが多いです。

さらに、ピリピリ感がとても強く「これは……」と感じる段階になると、やっと血液検査のいくつかの数値が、正常値をはずれるというのが私のこれまでの経験です。ヒビキはとても鋭敏に健康状態が反映されるのです。

しかし、西洋医療でない「非科学的」な手法を、日本の医療現場に採り入れるのは期待できないでしょう。だからこそ、私たちのような医療従事者ではない一般の者が、レイキを最大限活用して行くのが大事なのかもしれません。

プラスα レイキで不十分な場合

受け手の状態がとても重かったり、病気であったりする場合は、レイキで活性化される自己治癒力だけでは不十分な場合もあります。この様なときは、アロマテラピーやホメオパシーなどの他の療法を併用したり、気功など別のタイプの気を併用します。もちろん医師の治療が必要な場合もあります。

こういった場合でも、レイキはそのまま使い続けてゆくほうが、相乗効果が期待できますし、治癒速度がアップすることも期待できます。レイキだけでは不十分な場合であっても、使えば常にプラスに作用し、何とでも併用して活用してゆけるのが、レイキの素晴らしさでもあります。レイキには減点がありません。使えば必ず加点されてゆくのです。

体験談「妻の不調（千葉県K・Wさん）」

28歳、整体師です。昨年、突然の好奇心から、半信半疑……いや、七割くらいの疑いと共に、物は試しとアチューメントを受けてみました。それまで、「レイキなどというものは、あくまで『癒し』の技術であり、インチキとは言わぬまでも、自分の考える『根本改善』には、全く関係ないものである」と、思っていただけに、一体なぜあの時、あんなにレイキに興味を抱いたのかは、今もってさっぱりわかりませんが、インターネットや書物でレイキの事を調べまくり、一番自分に適していそうなマスターを見つけると、矢も盾もたまらず連絡を取り、その一月後には、アチューメントの予約を入れてしまいました。

アチューメント後には「とにかく、手から何か出ている」という印象は得たものの、それをどのように自分の施術に生かしてよいものやら、そもそもそれが本当に役立つものなのやら、さっぱり見当がつきませんでした。

もちろんマスターの方は、使い方や応用など、詳しく教えてくださいましたが、それまでの自分のテクニックと、あまりに異なっていたので、少々戸惑っていたのだと思います。

実は、ちょうどその数ヶ月前に結婚をしていたのですが、慣れない新婚生活の疲れからか、妻の体調が思わしくなく、いつも何となく青白い顔をして、家事にも今ひとつ気が入れられずにいる様子でした。元々、妻は料理好きだったのですが、調子が悪くなって以来、作るもの作るもの、まさに気の抜けたような味で、当人もその事を大変気にしていました。無論、そうした時に良いと思われる施術は色々と行ったのですが、今ひとつ元気にならず、私としても悩みの種だったので、物は試しと、レイキを入れてみることにしました。

アチューメントの際にマスターの方から「足裏にレイキを入れれば、全身に行き渡る」と、教えていただいていたので、夜、寝ている妻の足を掴み、足裏にレイキを入れてみたのです。数分後、妻が非常に暑がりだし、しばらくすると足をもぞもぞと動かしだしました。そこで、簡単に足を整体で調整すると、そのまま深く寝入ってしまいしました。

驚いたのはその翌日で、あれほど元気の無かった妻が、すっかり元気を取り戻し、作る料理も、気の入った味に戻っていたのです。

レイキの力を実感した私は、兎も角、色々なものや人（クライアント）にどんどんレイキを送って、何か変化が無いかを見ていくことにしました。何も言わずに、レイキを送った方から、「何だかホッとした」という感想を、たくさん頂き、何だかうれしかったのが印象的です。今では、自分の施術にレイキをうまく組み込む事もできるようになり、レイキは私の中で、非常に使い勝手の良いテクニックの一つとなっています。

体験談「子供のアトピー、自閉症（横浜市Y・Aさん）」

レイキを始めたきっかけというのは、息子と娘のアトピーでした。私自身も軽いアトピーがあり、遺伝したんだ、とものすごく自分を責めました。食事療法、漢方、酵素、にがり、○○水……。アトピーに効く、と書かれたものなどは、たいがいは資料を集め、実行しました。自分自身、ちょっと疲れ果ててました。なかにはアヤシイのもあったりで……。

そんな中で出会ったのがレイキでした。正直、なんかの悪い宗教とかなのかなあ、なんて思ったんです。ただ、すごく興味が沸いたので徹底的に調べて、そして納得がいった上で、『私も習得してみたい』と思ったんです。子供のためなら……それが、一番でした。

私の場合、初めてのアチューメントでは、とてもあたたかく、心地よく、そして色々な光が見えました。私には霊感とか、特別な力は何もないし、ごくごく普通の一般人。先生からは「アチューンメント中、何も感じない方もいらっしゃいますよ」という言葉から、おそらく自分もそうなのかなあなんて思っていただけに、驚きました。そして、先生の手から風？みたいのを感じ、アチューンメントを受けた初日から驚きの連続でした。

帰りは電車のなかで汗をかきました。体が芯から熱く、頭が少しぼんやりしていました。私は冷え症で、夏場でも、長い雨降りの時や冷房の効いている所は長そでで、夏でもあまり汗をかかなかった私が、あれ以来きちんと汗をかくようになったので、非常に驚きました。

私は、習得したレイキを、子供達に、主人に施しました。主人は、『きもちいいから眠くなるなあ』と、言ってくれました。子供達三人いるのですが、上の子は、敏感なのかレイキをすると「へんな感じがする」と言い、なかなかやらせてもらえなかったのですが、寝ている時に身体などにレイキしたり（レイキを流し始めると、何か感じるのかよく寝返りをうったりしています）、抱き締めたりしてレイキを送ったりしていました。

アトピーに関しては、季節の変わり目には若干強く出るものの、ステロイドは不要になりました。それと、風邪を引きにくくなりました。家庭の中では飲料水にレイキしたり、手作りの料理に利用したり。味がまろやかになるのでよく使います。

最近、二番目の子供が軽い自閉症だとわかり、とてもつらい宣告をうけました。宣告からは半年、レイキはもちろん、医者や心理の先生から指導をうけ、スクーリングもしました。

それから半年。実は昨日、医者から『ずい分改善されましたね、スクーリングはもう必要ないと思います。次回は半年後でいいですよ』との言葉をいただきました。

自閉症は、治るものではなく一生つきあっていくもの。自閉症の度合いにもよりますが、うちの息子は知能障害の指摘、多動の指摘をうけ、最初は普通の小学校には通えないとの話でしたが、今は経過を見て決めることになりました。半年でスクーリング解除になったのは、医者も驚いていらっしゃいました。

まだまだ、これからどうなるのかはわからないけれど、これからもレイキとともに愛を家族に送っていこうと思います。レイキによって、たくさんの愛をまなんだ事が私の中での大きな収穫です。

◆　◆　◆

体験談「主人の不調（神奈川県M・Sさん）」

主人には、ほぼ毎日レイキさせてもらっています。帰宅してから眠るまで、ほんの数時間の間に、パソコンやテレビを見ている彼の背後に回って肩にレイキをさせてもらいます。

時間としては10分から長くても30分くらいでしょうか。また、ベッドに入ってから眠りに落ちるまでの間、背後から寄り添って腰（ちょうど腎臓のあたりでしょうか）にレイキをするのが日課になっています。

レイキを始めたころから練習と称して主人へのレイキをさせてもらっていますので、もう2年位になるでしょうか。わたしが不調の時や、忙しくて余裕がない時などは無理をせず、楽しんでレイキを続けていける範囲にとどめていますので、断続的になることもありますが、長い目で続けていくことの効果を日々感じています。

当時の夫は、左手にしびれが出るほどの状態にもかかわらず、肩が凝っているという自覚が全くありませんでした。わたしが手を当てるとかなりの痛みが響いてくる程で、首から肩にかけての凝りはひどく、肩はまるで甲冑のようにパンパンに張っていました。

今では、ヒビキとしてそういう劇的な痛みを感じることはほとんどなく、ずいぶんと状態が良くなっています。普段は左手のしびれもなくなり、ずいぶん楽になったと本人も言います。

ただ疲労が蓄積してくると、レイキ中にしびれが少し浮上することはあるようです。もともと猫背で首が前に突き出した姿勢であることや、仕事柄どうしてもＰＣに向かう時間が多く、肩周辺の凝りの根本的な解消は簡単ではありません。今後も気長にレイキしながら肩の凝りの状態の変化を見ていきたいと思います。

短い時間でもこうして頻繁にレイキを施すことで少しずつ心身が緩み、自分の感性に正直になっているように見受けられます。凝っているという状態も感知できない程だったのが、凝りなどの違和感に自ら気づくようになり、意識的に首や肩をほぐす動きを自分でもしてみたり、マッサージに行ったりするなど自分の体調管理に敏感になりました。

それに伴って、腰に違和感があることがわかるようになり、「腰にレイキして」と言ってくるようになりました。そこで、ベッドに入ってから毎晩寄り添いながら背後からレイキをするようになりました。

ちょうど腎臓のある辺りを中心として、最初はかなりのヒビキがありました。本人は、そこに手を当てると熱く感じたり温かく感じたり、場合によっては痛みも感じるようですが、基本的にはとても気持ちが良いようです。レイキを始めると「温かい」とか「気持ちいい」とか呟きながらすぐに寝息をたてて眠ってしまいます。

先日、夫が会社からもらってきた人間ドックの結果では、いろんな数値がかなり改善されていました。ここ数年あった「腎臓の石灰化」という所見もなくなっていました。「腎臓の石灰化」とは、腎臓にできたカルシウム沈着のことで、すぐに病気に至るというわけではないようですが、その部分の機能低下には違いありません。

腰にレイキをし始めたころは、健康診断の結果については忘れていたので、そのことを意識してレイキをしていた訳ではありません。ヒビキの強さに従って、腰の部分にレイキを続けたという結果かもしれません。

こうした、肩や腰へのこまめなレイキのおかげなのか、夫は見た目にも以前よりも断然元気そうです。相手に威圧感を与えるほど張っていた肩も、脱力したせいか少し下がってすっきりしました。また、目つきの鋭さも緩和され表情がまろやかになったようです。これは、日々ともに暮らしている家族だからわかる変化なのかもしれませんが、こうした変化を感じるとき、レイキの実践の効果を実感します。

レイキを始めたばかりの頃、頻繁に自己レイキをしている私を見て、「よくそんな退屈なことしてるね」と笑っていた夫も、今では、レイキの効能がわかったようです。仕事のことで気が張って眠れないと必ず催促してきます。そんな時、手の中で、眠りに落ちていく彼の寝息やひびきを感じながら、こんな風に家族の役に立つことができるしあわせをかみしめます。

◆

◆

◆

体験談「子供のメンタル面、母のヒザ（東京都Y・Iさん）」

私には、二人の娘がおります。一昨年前、上の娘が心を病んでいることが発覚いたしました。私に出来ることを何か身につけたいと思い、探していく中でレイキという言葉を見つけました。私は、10年ほど前に知り合いから遠隔でのレイキを送って頂いたことがあったので、「あの暖かい感覚を娘に与える事ができるようになるのなら、やってみよう」と、思いついたのです。そして、幸いなことに仁科先生の「香りの森」ではレイキのセミナーに子供をモデルとして連れて行くことが可能だということが分かり、すぐに受講を決めました。

それから、娘の身体に手を当てる生活が始まりました。

娘は最初から、私以上にレイキの心地よさを感じていました。手を当てるとすぐに眠れるようになりましたし、私の心も、娘に手を当てることでとても穏やかになり、言葉だけでは伝わらない、心の奥の想いが伝わっていく感じがしました。

また、レイキは動物にも効果があると聞いて、家で飼っているミズガメにも水槽越しに使ってみました。実は、この亀は人になつきやすいと聞いていたのに、家に来て何ヶ月たっても石の影に隠れたままで、人の影が見えると、すぐに隠れて、出てくることがありませんでした。ところが、水槽に手を当て始めると、亀が手の方に寄ってきて、じっとしているのです。そして、翌日私が水槽に近づくと、「餌くれダンス」を始めたのです。これには、本当に感動しました。

日々のレイキ実験や、娘たちへのレイキの実践を通して、もっとレイキを使いたい！と思うようになった私は、一番身近だけれど疎遠だった両親の所へ、レイキをしに通うことにしました。母の痛くて歩くのも辛い膝が、レイキをした翌日には楽になって歩きやすくなったり、なかなか眠れなかった父が、レイキを入れた時だけは熟睡できるなどの報告を受けるなど、とても嬉しいことが続きました。

ただ、それよりも手を当てることで、自分の中の両親に対する素直な気持ちが出てくるのを感じて、驚きました。私と両親との関係は、決して良いとは言えない状態だったので、自分の中の「両親を大好きな自分」を発見したことは、本当に大きなことでした。レイキは、目で見ることが出来ないけれどしっかりと存在していて、人と人の心を見えない糸で繋いでくれる働きがあるな、と感じています。

そしてもう一つ、レイキの練習交流会での体験をお伝えしたいと思います。

ある交流会の日のことでした。その日は、朝から否定的な考えばかりが浮かんで、自分でレイキを使っても、なかなか消えていかずに辛かったのです。練習交流会に行って、最後のレイキマラソンが終わった時に、私の中にあった否定的なものが綺麗さっぱりなくなっていることを感じて、本当に感動しました。

本当に落ち着いた安心感と、心地よさだけが残っていました。自分だけでは流しきれないものも、練習交流会に行って複数の方からのレイキを頂くことで、しっかりと流すことができます。何よりもレイキの気持ち良さを実感することで、人にレイキをする時の力みが取れると感じています。


私がレイキを使えるようになってから、一年が経ちました。数え切れない出来事がありましたが、一番の恩恵を受けたのは私だと感じています。

レイキを知るまでの私は、どこか人任せの人生を送っていました。様々な代替医療にも、まるで、魔法の様に私の前から嫌なことを無くしてくれることを、期待していました。

今では、「私の人生に起きることは、必ず何か意味があって起きること。そして、私の人生なのだから、私が自分で選んで歩いていこう」と思える自分が育っています。

一年前の私には、こんなに変化する自分を想像することも出来ませんでした。

第3章：レイキのイロハ

レイキの使い方は超シンプル。
力を抜いて、リラックスして、
優しく手を当てるだけ。
準備も、儀式も必要なく、
何かをしながらでも活用できます。

レイキのイロハ――（い）送り手の意識

レイキは手のひらを身体に当てて、手から出る気を送ります。その使い方はとてもシンプルです。この章では、手を当てる時のポイントをお伝えしてゆきますが、何か難しいルールがあるわけではありません。準備は特に何も必要ありません。しなければならない儀式もありません。必要なときに、パッと手を当てればよい、ただそれだけです。

自然体になる

手を当てる時は、送ろうとか、出そうとか、そういう意図的な意識は持たないようにします。臼井甕男先生が最初に霊気を見つけた時は、足のケガに無意識に手を当てて自然に気が送れたのです。レイキは自然体にしている時に、自然に出てくるのです。レイキは「出す」ものではなく、リラックスして自然体になった時に、自然に「出る」ものです。

自然体でいることが最大のポイントです。気張ったり、力んだり、緊張したりしないようにします。肩や、腕や、手の力を抜くようにします。

私たちは普段の生活で、何かをする時に、心にも体にも、ついつい力が入りがちです。最初は自然体になるのは、案外と難しいことかもしれませんが、慣れれば心地よくできるようになります。

自分の呼吸も自然に任せて、意識しないようにします。何かをイメージする必要も全くありませんし、何もイメージしないほうが良いです。宇宙もイメージしません。「何かをしなければいけない」というプレッシャーも持たないようにします。「お任せします」という穏やかな気持ちになって、自分の体に任せていれば、あとは自然と必要なことが起こります。

自然体になれば、上手くいく

無心と表現すると難しく聞こえますが、要はボーッとしていればよいのです。雑念が浮かんだり、「今日の夕食はどうしよう」とか考えたりすることもあるでしょうが、それがごく普通です。その事自体は気にしないようにして、意識を戻せば大丈夫。レイキは、緊張や心配さえしなければ、多少は他のことを考えても、大きな影響はありません。

相手を感じる

レイキをしているときに意識を向ける先としては、理想的には、受けている人に意識を向けます。これは、強く意識するのではなく、受けている人を「感じて」あげます。

気持ち的に受け手が「そこにいる」と感じていてもよいですし、視覚的に受け手を見ていてもよいです。また、相手から来る自分の手の感覚に意識を置いてもよいです。もちろん、多少は受け手から意識がはずれても、別のことを考えても問題ありません。

治そうと意識しない

手を当てている時は「良くしよう、治そう、変えよう」と強く思ってはいけません。

レイキで人の心身が改善するのは、受け手が自己治癒力を発揮するからです。治るのは受け手の力であって、送っている人の力ではないのです。

レイキは意図のないエネルギーで、受け手の体がそれを自由に使うのです。相手を「治す、変える」のではなく、相手は「治る、変わる」のです。そして、相手が治る、変わるのを待つという心持ちが大事です。

これはレイキを始めた当初に考え違いをしやすい部分なので、十分に注意してください。

これは難しい時があります。相手の状態が悪ければ悪いほど、どうしても「治そう、良くしよう」という気持ち、あるいは「治らなかったらどうしよう」と心配になりがちです【K】。特に、自分の家族の場合はそうでしょう。こういうときは、自分自身も疲れてしまいがちです。それは、自分のそういった念や感情が、エネルギーとして送られてしまうからです。

念や意図をセラピーとして利用するのは、気功のように鍛錬・習熟して、自分を良い形でコントロールしないとうまく行きません。また、自分のそういった気持ちが、逆に相手に負担になったり、反発を受ける場合も往々にしてあります。

理想的にはどんな状態でも、穏やかな気持ちになって、相手に任せる、レイキに任せることが良い結果をもたらします。

私もレイキを始めた頃は、どうしても治そう治そうという気持ちが出てしまっていました。しかし、いろいろな経験を積んだり、重い状態の人をレイキしたり、末期の人をレイキしたり、またレイキ自体への理解が深まるようになって、自然にコントロールできるようになりました。

【K】どうしても「治したい」「治ってほしい」と思うときは、自分のそういったエネルギーを整った形にして送るシンボルとマントラの技法があります。

レイキのイロハ――（ろ）手の使い方

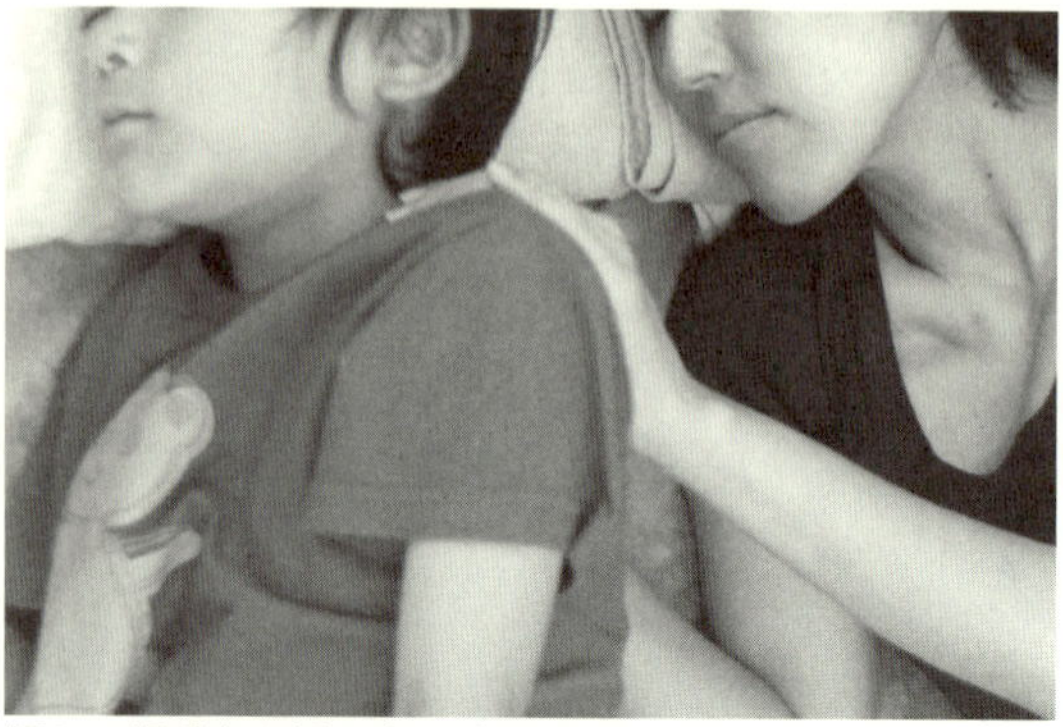

親しい相手なら添い寝も活用しましょう。子どもや、パートナーならアラレもない格好でも大丈夫。

姿勢はまったく自由

レイキを送る人・受ける人の姿勢は、こうしないといけない、というのは何もありません。できるだけ自分が楽な姿勢になるようにします。

一定の時間同じ姿勢をしていると疲れてしまいますから、たとえば右手を使っていたら左手に換えるとか、自分が座ったり立っている位置を、少し移動するとか、体の向きを変えるとかをしてみてください。

お母さんでしたら、子供を抱っこしながら、あるいは添い寝しながらレイキをするというのも日常でよく使う形です。

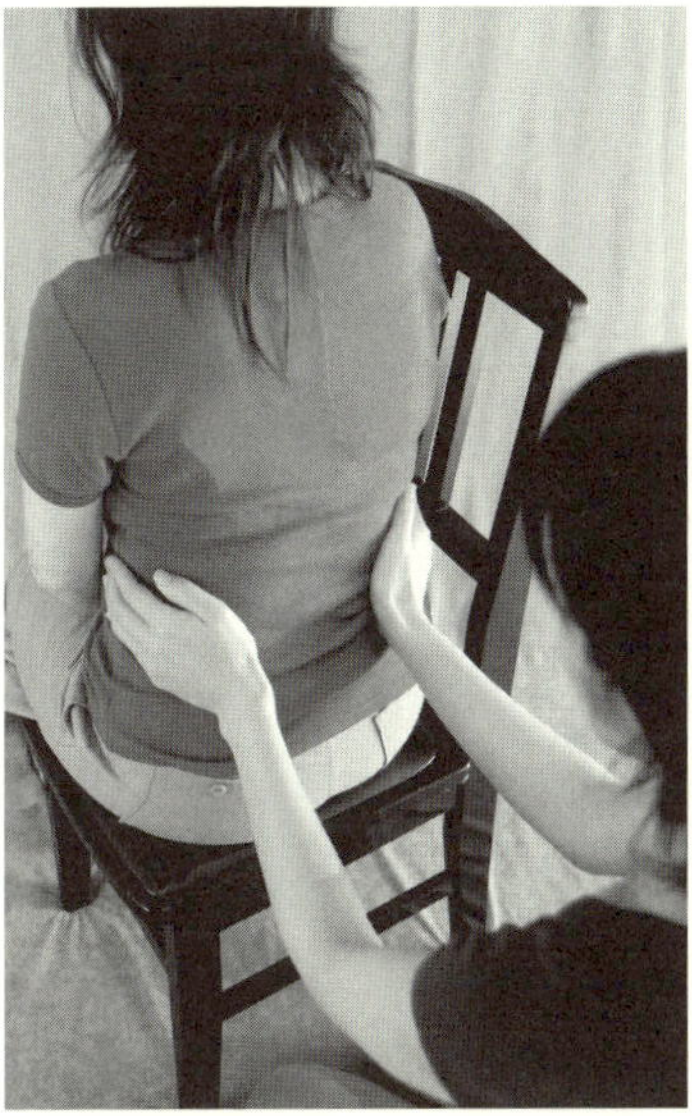
椅子に座ってもらっても良い。

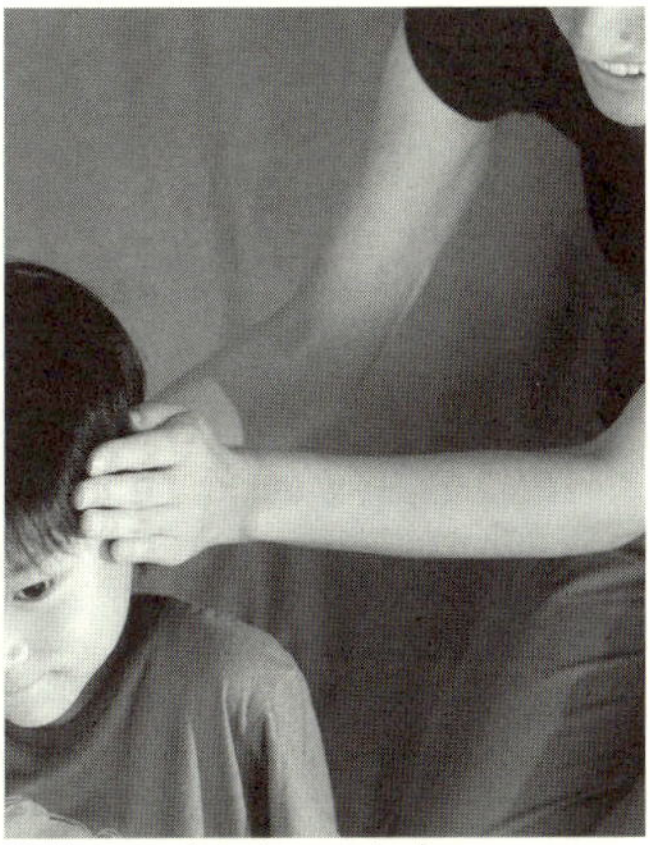
背後から手を当てても良い。

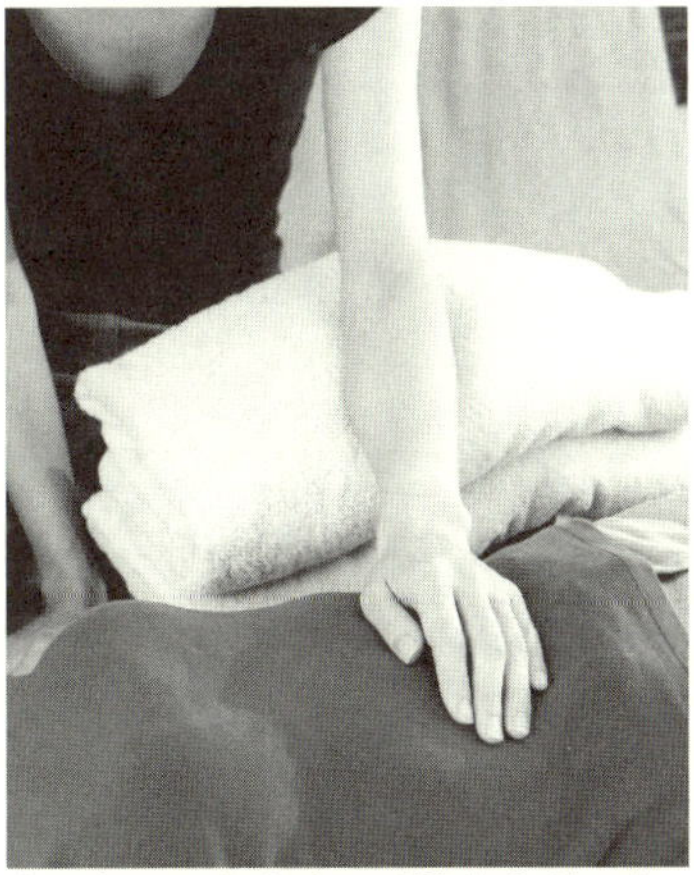
クッションやタオルで腕をサポートしても良い。

姿勢や体勢は常識にとらわれないようにしましょう。クッションやタオルを使って、腕のサポートを作ってあげると楽になります。自由自在に、臨機応変に、その時々の自分の直感に従って工夫されるのが一番良いです。

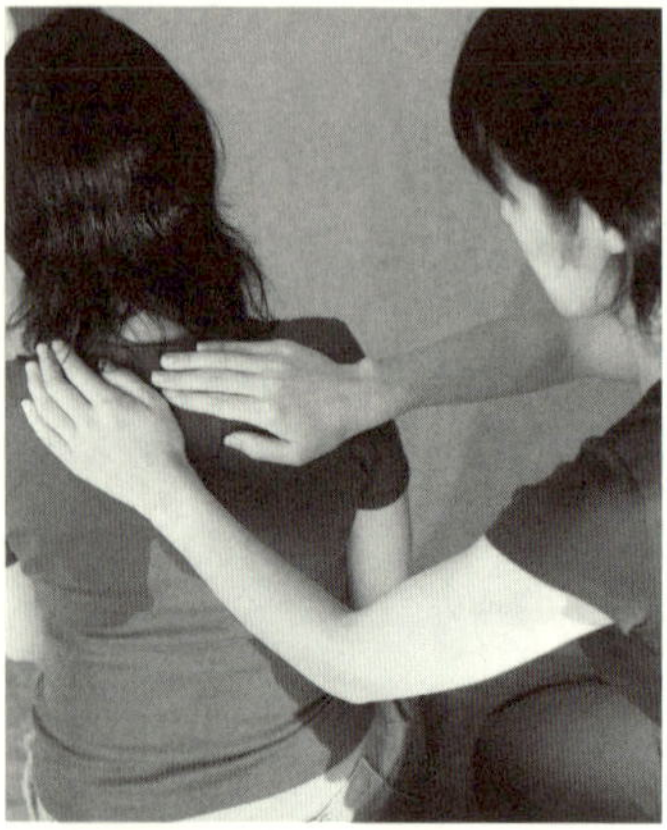

両手を同時に使っても良い。

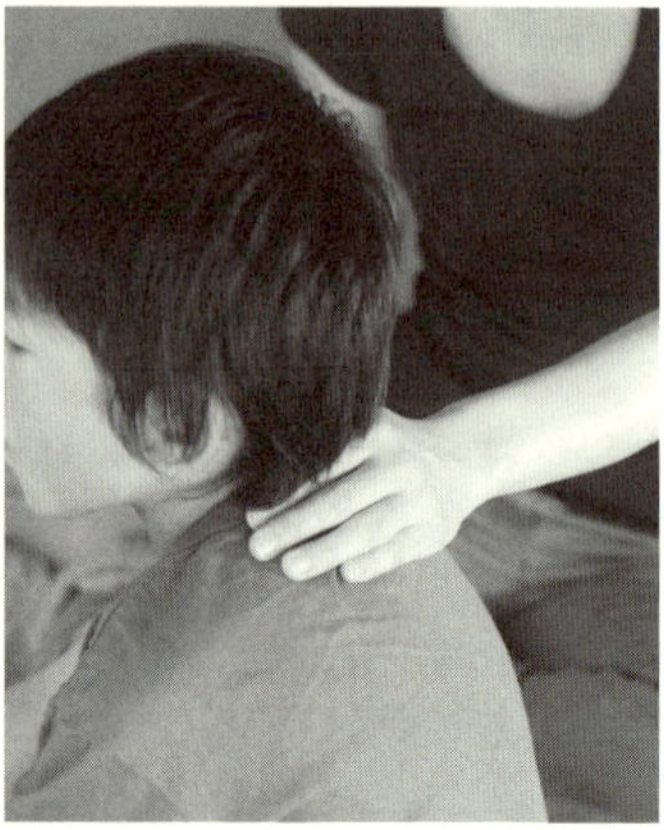

手で優しく当てればＯＫ

片手でも、両手でも

手の形や指のそろえ方は、大事ではありません。形ではなくて、肩、腕、手首、手、指から力を抜くことが大事です。手を当てたら、フッと力を抜いてリラックスします。

また、レイキでは左右の手を区別する必要はありません。右手でも、左手でも、ほぼ同じように気が出ますので、どちらの手も有効に使ってゆくのが良いでしょう。

手を当てるのは片手でも、同時に両手でも、どちらでも良いです。片手でレイキをしていて、腕が疲れてきたら、もう一方の手に換えれば良いのです。両手の場合は、手を並べて同じ箇所に当てても良いし、左右の手を別な箇所に当てても良いです。

堅苦しく考えず、臨機応変に、自分の直感に従っ

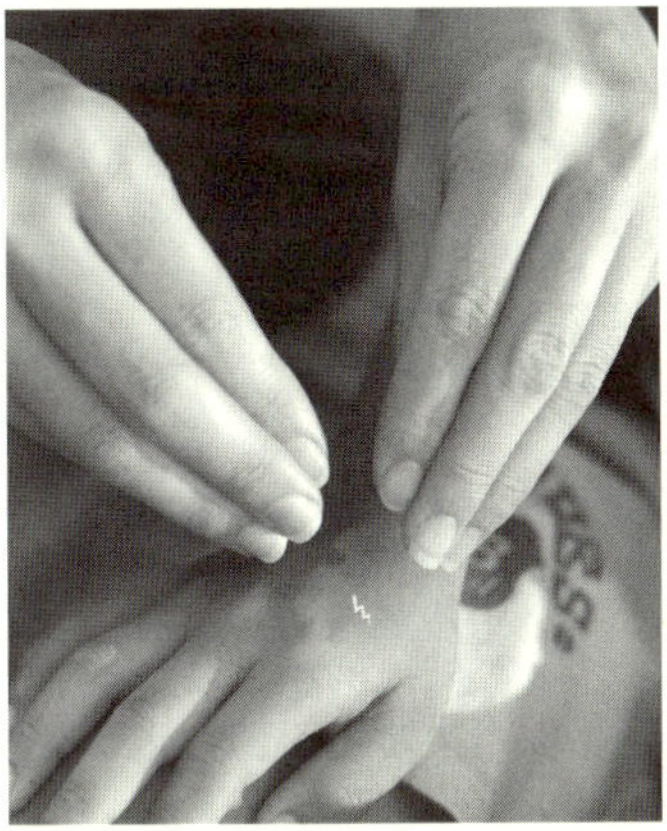

指先でもよい。手はリラックスして自由自在に。

内臓には両手で挟むのも有効。

て手を使えるようになるのが一番です。

内臓や関節などは、両手で挟んだり囲ったりすると、レイキが深部まで到達し効果的です。内臓を挟むのは椅子に座らせて挟むか、寝ている状態では横寝になってもらいます。

優しいタッチで一層の癒しを

手を当てることに少し慣れてきたら、タッチの質を向上させましょう。

気の量は手の平から1～2cm離れたところでも、ほとんど変わりません。肌に密着させなくても、気はちゃんと送ることができます。ですから、タオルの上からでも大丈夫ですし、衣服の薄い厚いには影響を受けません。

逆に「たくさん送りたい」と思って、手をグッと押し付けても気の量は増えませんし、受ける人の実

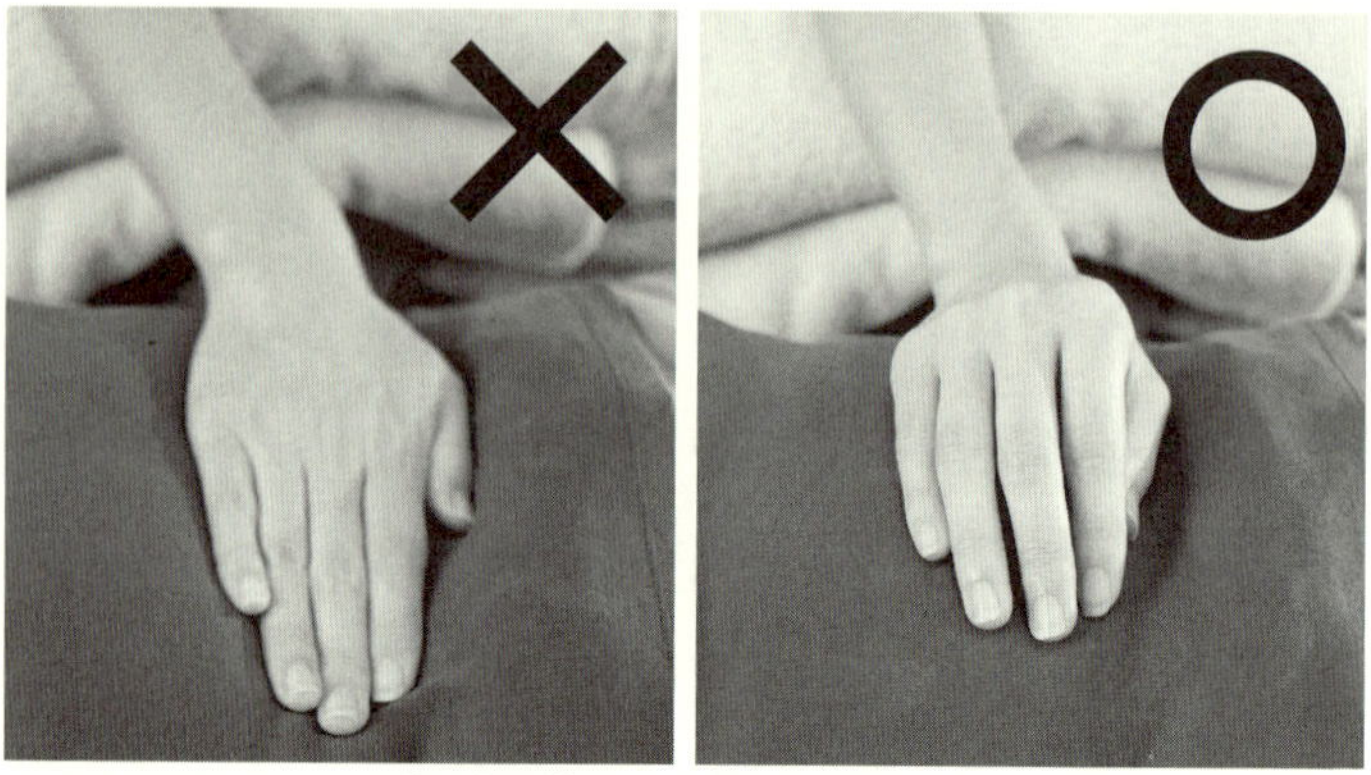

手は力を抜いて、軽いタッチで

感は悪くなります。手の圧が強すぎると、受け手の人はその物理的な圧力ばかり感じてしまって、せっかくの気を受けている実感が弱まってしまいます。軽くフェザータッチで手を当てるというのが、受け手は気の感覚がわかりやすく、心地よく感じます。

また、手を当てようとする時は、ポンと置くのではなくて、相手から1㎝ぐらいのところに来たら、そこからはジンワリとゆっくり、優しくソフトに当ててゆくのが理想です。レイキは1㎝ぐらいから十分に作用が始まりますので、ゆっくりとタッチすると、気が徐々に相手へ伝わり、違和感を起こしません。

手を移動しようとして離す時も、パッと離すのではなく、圧をジンワリと解除してからゆっくり離すようにします。

一部のレイキ実践者に見られる癖ですが、手をつけたまま移動してはいけません。受け手は身体をまさぐれているように感じて、不快になります。ほんの少し移動するときも、圧は優しくリリースして、わずかに浮かせて移動します。

このようにソフトタッチで扱われると、相手は「自分はとても大事にされている」と感じられて、癒しの効果がさらにアップします。手を優しく使える人から受けた場合と、粗雑な動作をする人から受けた場合では、受ける人の感覚には雲泥の差があります。

これは、特に精神面に作用させたいときや、メンタルなヒーリングをするときは必須の要素といえます。

もちろん、こういった動作はテクニック以前に「相手を大事に思う心」から生まれるものです。そういった点にも留意して、レイキを行ってください。

レイキのイロハ――（は）送り手側の状態

ウトウトするのはうまくいっている

レイキをしていて、自分もウトウトしてきたり、眠く感じるのは、それはリラックスできていて、とってもうまくいっている状態です。そのまま続けていて大丈夫。フッと、一瞬意識が飛ぶこともありますが、それも大丈夫。穏やかな心持ちで、ボーッとレイキができるようになれば、あなたのレイキの実力はたいしたものです。

このように書くと、なんかいい加減だなと思われるかもしれませんが、レイキは論理を超えたところに大事なポイントがあります。「身を任す」「自然体」というのが理屈ではなく、心や体でわかるようになると世界観が変わることもあります。

〝ながら〟でも有効に使える

人の身体はリラックスしていれば、常にあるレベルの量のレイキが出ています。

おもしろい例として、私がプラットホームで電車をボーッと待っていたとき、なにげなく自分の手のひらが腿に触れて「おーっ、なんだ、レイキが来ている！」と気がつくことがありました。逆に、緊張したり、心配したり、怒ったりすると出る量は激減します。

ですから、リラックスした状態であれば、ながらでもある程度のレイキをすることができます。たとえば、テレビを見ている時、食事をしている時、穏やかな会話をしている時などにも、ながらでレイキをすることができます。これは特に、日常的に家族や自分自身にレイキをするのに非常に有効です。

レイキは“ながら”でも有効

子供やパートナーと一緒にテレビを見ながら、相手や自分の不調箇所に手を当てていればよいのです。もちろん前述のように、ちゃんと相対して、相手をきちんと感じてあげると、出るレイキの量はぐっと増えます。ただ、ながらで行っても有用な量は出ていますから、それで時間を稼ぐのは非常に有効に働きます。

家族と一緒に過ごす時間の中で、自然と療法が行え、それで効果が出せるというのは、大変に嬉しいことです。まさに究極の家庭内療法と言ってもよいと思います。

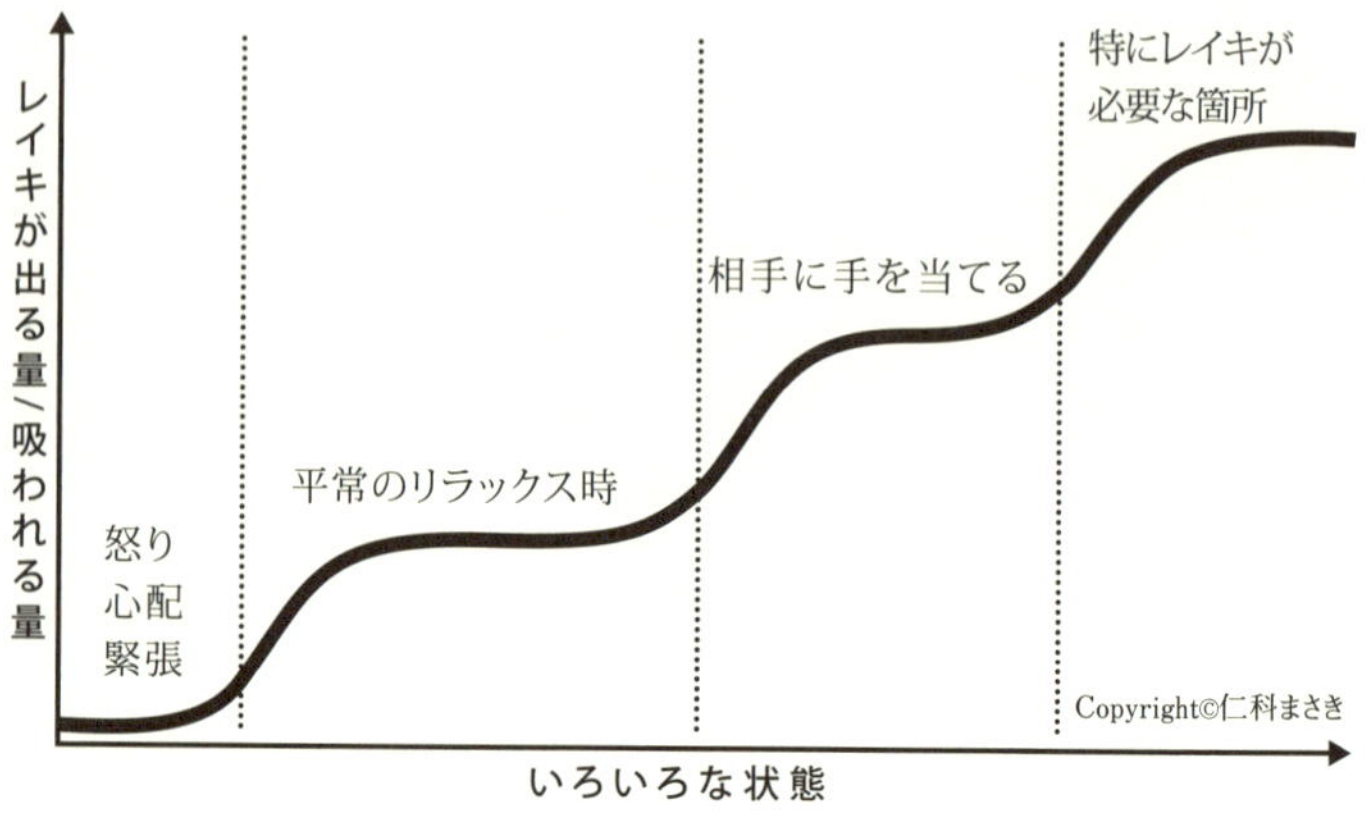

レイキは「出す」よりも「吸われる」

レイキはリラックスしていれば、常に一定の量が手などの出口から流れ出ています。逆に非常に緊張している時、何かを心配している時、強い怒りがある時など、五戒（P186）と離れた状態になればなるほど、流れが少なくなり、出る量が減ります。

さらに実際に手を当てる段階では、この平常状態に加えて「吸われる」ということが起こります。つまり、レイキは手から出すという表現よりも、レイキを必要としている箇所（細胞や組織）にレイキが吸われると表現したほうが正しいのです。その箇所がレイキを多く必要としていれば、さらに吸われる量も増えます。こういった状況によるレイキの量の変化を感覚的に図にしてみました。

ですから、悪い箇所でも一生懸命レイキを出そうとする必要は全くなく、むしろリラックスして吸われるのにただ任せていればよいのです。勝手にたくさん吸われて出るのです。レイキは、頑張る必要が全くない理由がここにあります。ただし、吸われる最大限の量は、送り手のレイキの流れの良し悪しで決まってきます。

最初は実感が薄い

レイキは出すものではなく、吸われるものなので、自分の手から出ているという感覚は、最初わかりにくいと思います。その感覚がつかめるのは、時間がかかると思います。

体感として、手が暖かくなる、ジンジンするとか、眠くなってくる、体が暖まって来るというのは、レイキが良く流れている証拠です。

他に自分の顔に手のひらを近づけてみたり、体に触れないでわずかに浮かしてかざすと、モワッとした気の感覚が味わえるかもしれません(これは手が冷たいときに実験すると驚きます)。

レイキを実感するのに一番良いのは、第7章の練習法で述べますが、他人にレイキをして感想をもらうことです。レイキは出す側よりも、受ける側のほうが、感覚がつかみやすいです。だから人にやってあげて、感想をもらうと「自分でも出てるんだ」と実感できます。

体調は万全でなくてもOK

レイキを他人にしようとする時、自分が疲れていたり、不調箇所があったり、風邪気味だったり、すこしイライラしていたり、少し元気がなかったりしても、それは大丈夫。そんなときは、思い切って他人へレイキをするほうが良いのです。

少しのイライラは、レイキすれば自然に心が穏やかになって行きます。多少の不調は、レイキをすることで、良くなる場合もあるぐらいです。

そのような時も、心配心を起こさずに、身を任せてレイキをしていれば、受け手の人に悪い影響は与えません。それがレイキの良いところです。長い時間、相手にレイキをしてあげていたら、自分の悪い膝が良くなってしまったという例もあります。

ただし、自分が日常生活に支障のある症状の場合や、感情的に極度の状態にあるときには、自然体になるのは難しいですから、逆にレイキを受けることが必要です。

プラスα 儀式について

スクールによっては、手当てを始めるときに「レイキとつながる」ための儀式を教える場合もあります。自分の気持ちを切り替えて、スイッチを入れるという感覚で、儀式が役に立つこともあります。しかし本質的には、私たちは常にレイキとのつながりがあますから、儀式は必要ありません。各自の好き嫌いで行えばよいでしょう。

レイキする時間は直感で

時間はアバウトでよい

レイキは短ければ数分で十分なこともあれば、相手の状態によっては30分、1時間、2時間と必要な場合もあります。非常に軽いケガ、一時的な不調であれば、数分で解消するケースが多々あります。逆に、慢性的な症状の時や、完全に病気になっているときは、長い時間を要するでしょう。

一カ所にどれぐらいの時間レイキをしたらよいかというのは、最初はわかりにくいと思います。ただ、レイキは時間が短すぎても、長すぎても何も悪いことは起こりませんので、ご自分の直感を頼りして何の問題もありません。目安としては上の表のようになります。

第6章で詳しくお話しする「ヒビキ」が感じられるようになると、

一カ所にレイキをする時間の目安

ヒーリングとして	1分〜5分
軽いケガ、一時的症状	5分〜10分
中程度のケガ	10分〜30分
重いケガ	30分〜1時間以上
慢性的なもの	毎日10〜20分
病気の状態	20分以上を3日以上連日

ヒビキから相手の状態の変化がわかり、いつ止めたらよいかは、自動的にわかるようになります。

物理的な時間に囚われない感覚を

私たち現代人は、時計という物理的な時間に徹底的に縛られ、時には奴隷になっています。時間が決められていないと、とても不安になったり、長い時間がかかると、まるで損をしたような気分になります。

私は、これは短絡的な感覚だと思います。

人が時計という物理的な時間を利用しているのは、普段の社会生活の中で、他人とうまく整合性を取るためです。時間の流れは、その時の気持ちで違ったり、個人個人で違ったりしていないし、それが時間の本質だと思います。レイキをしているときに時間に気を取られたり、時計を気にしたりというのは、良いレイキをすることはできません。レイキは物理的な時間ではなく、生物的な時間を扱っているのです。

現代人の感覚だと、10分ですら一カ所に手を当てているのは「そんなに長くー！」と思われるかもしれませんが、自分がリラックスできていれば、30分でも1時間でも、あまり変わりなく感じられるようになります。10分ぐらいでも長く感じてしまって苦痛だというのは、姿勢や意識に何か無理があるからです。

もう一度ご自分の意識や姿勢をチェックしてみてください。自然体になり、穏やかにしていれば、1時間はあっという間に過ぎてゆきます。そうした時間は実に心地よく、すがすがしいものです。

慢性的な現代病には、〝ながら〟で時間をかけて

現代の不調は慢性的なものが少なくありません。その場合は、数分のレイキをしても足りない場合が多くあるでしょう。私の生徒で「うまく行かないのですが」と質問してくるケースを良く聞いてみると、数分しかレイキしてないという場合が見られます。長い期間抱えている不調なら、軽度でも毎日最低10分〜20分以上は必要でしょう。忙しくて時間が取れないというのでしたら、ながらで時間が稼げます。テレビを見ながら、電車に乗りながら、お風呂に入りながら、雑誌を見ながら、夜布団の中で寝入りながら、レイキを使ってゆけば30分はあっという間です。

受け手の感覚について

受けると本当に心地がよい

レイキを受けている人には、どんな感覚があるのでしょう。

肉体的感覚としては、一般的には暖かく感じることが多いです。ただ、それは手の表面的な暖かさではなく、内部へ染みこんでくる暖かさです（体験談P93）。不調箇所があれば、そこは特に暖かく、場合によっては熱く感じるでしょう。

ただの人間の手なのに、何でこんなに暖かく、熱く感じるのかと不思議に思う時があります。不調のある内臓を前後で挟んでレイキしてもらうと、お腹の中からワーッという熱感が感じられ、レイキは当てられた手の表面的な温度とは全く違うものだと、実感できるでしょう。

人によっては、身体の中での流れや、広がってゆく感覚として感じられる場合もあります。他にも、風の流れのように感じたりする時もあります。涼しく感じる場合も希にあります。

感じ方には個人差がある

私はこれまでに、多くのレイキの体験がありますが、レイキを受けることは本当に気持ちのよいもので、言葉では表しきれない部分も多くあります。

「気持ちよい」「心地よい」「癒される」といった単純な表現以外にも、安心する、肯定されている、慰められている、体が地面に吸い付く、体や心が緩む、緊張が取れてゆく、力が抜けてゆく、体が浮遊する感じなど、多くの精神的にプラスの感覚も生まれることが少なくありません。

受ける人は瞑想的状態になる場合も少なくなく、色が見えたり、イメージが見えたり、過去の体験を思い出したり、どこか別の場所に行ってしまったり、などの体験が起こることもあります。

ただ、気の感覚にはかなりの個人差があり、ほとんど何も感じない人も希にいます。しかし、そういった場合でも効果はちゃんと出ます。レイキは暗示ではありませんので【L】、受ける人

【L】アファメーションといって、「良くなったよ」「うまく行くよ」などの暗示的な技法を、補助的に併用する場合もあります。

が全面的に否定していても、レイキを受けてさえくれれば、効果は出ます。レイキと知らないで受けても効果は出ます。

目に見えないものを、初めから信じて受ける人は希です。「そんなもんは信じないよ」という人に対しても、「そうですね、信じられないですよね」と答えながら、穏やかにレイキをしてあげればよいのです。それでも、多くの人がその効果を実感し、世界中に広まったのは、レイキの実力が本当にあるからに他なりません。

レイキを受けていて、不快な感覚を生じることは希ですが、不調箇所がある場合は、受けている最中に反応が起こる場合があります。凝っている筋肉がヒクヒクと感じたり、胃の悪い部分がチリチリと感じたり、背骨の悪い箇所で軽い痛みを感じたりします。これは、レイキで治癒反応が始まって、細胞や組織が動き出すために、そういった刺激を生じるようです。

これは、そのままレイキを受けていれば、徐々に弱まり、受けている間になくなってゆくことが多く、心配することは何もありません。

体験談「レイキの心地よさ（東京都N・Kさん）」

2007年夏、レイキを初めて体験しました。これまで、アロマセラピーのトリートメントを受けている時に、セラピストの手からの温かさを感じることはありましたが、その感覚をさらに掘り下げたような……。手の触れている部分ではなく、手の触れている部分の身体の深部からじんわり〜と温かくなる感覚に正直驚いてしまいました。時間の経過とともに、手の触れている部分から身体全体へどんどんとその温かさは拡がっていき、身体の温かさとともにココロも鎮まっていくようでした。なんとも心地いい感覚……。いつまでもこの陽だまりのような温かさに包まれていたい〜……、そんな気分に浸ることができたヒトトキでした。

その日は夜中もずっと身体がポカポカ温かく、レイキって一体何かしら⁉とレイキに対して大変興味が湧きました。

レイキ体験初日でレイキの心身への癒しの力に魅了されたため、早速友達にレイキを行ってみました。すると、友達にも身体の深部が温かくなっていく感覚を感じてもらえたのです。お互いに肩こりや手足の末端の冷えに悩まされていたため、エネルギーが循環し共に身体が温かくなっていくことが大変嬉しく、素晴らしいヒーリングだと思いました。

レイキを始め、合掌などの自己ヒーリングを行うようになってから、いつも冷たかった手のひらが常に温かくなったことも驚きでした。これまでずっと末端部の冷えに悩まされてきていたのに……。もっと早くにレイキを行えばよかったと、これまでレイキ＝霊気＝なんだか怪しいモノと勘違いし、レイキを避けてきていたことを恥ずかしく思いました。

レイキを体感した後で、レベルⅠを受講させていただき、今も自分の心身のセルフケアや家族や友人への心身へのケアとして、「癒し」を共有しながら日々レイキを行っています。手のひらは今も温かく、冷えに悩むことはなくなりました。

第4章：問題別の使い方

肩こり、腰、消化器系、ヒジ・ヒザ、冷え、
疲労、風邪、頭痛、口内炎、中耳炎、腹痛、
婦人系、ケガ、虫さされ、
そしてメンタルな面と、
レイキは家庭で大活躍します。

この章では、具体的なケースで、どこにどのように手を当てるかを見てゆきます。どこか体で悪い箇所があれば、そこに手を当てる、肩が凝っていれば、その凝っている筋肉に手を当てる、胃の調子が悪ければ胃に手を当てる、膝が悪ければ膝に手を当てる。これが手当て療法の素朴な形ですし、基本的なやり方です。

注意点としては、力を抜いて、リラックスして行うことが一つ。
もう一つは、病気であるならば、きちんと医師の診療を受け、その治療の補助としてレイキを用いるということです。

肩こり

凝っているその筋肉に手を当てます。

最近は特にパソコンや携帯電話などの電子機器の使用が多いためか、肩の上部から首の部分が凝っているケースが多く見られます。人によってはかなりのコリがあるのに、自覚症状のない場合もありますが、これは手を当てるとレイキに反応して、熱くなってくるのでわかります。これは後述のヒビキの一つです。

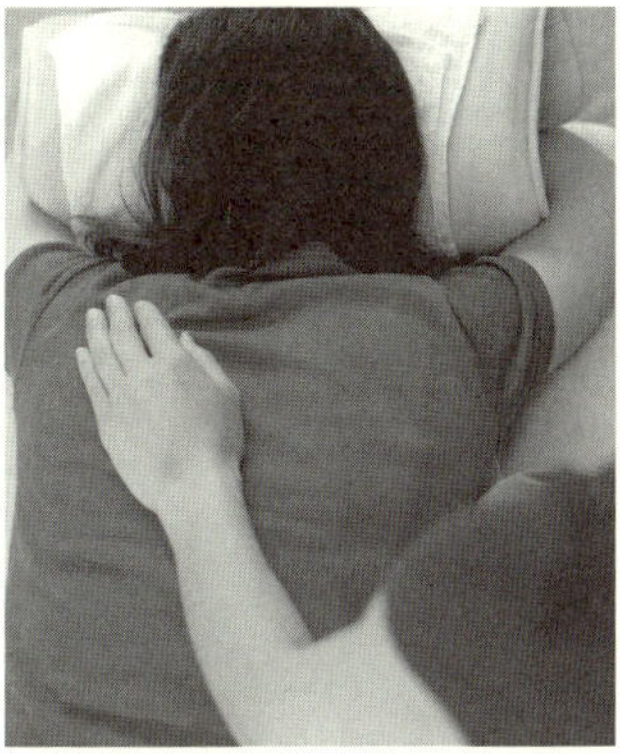

“ヒビキ”を感じながら、凝っているところに手を当てる

また最近は、肩こりが精神面から来ているケースがとても増えていますが、この場合は、P122のメンタルなヒーリングを併用する必要があります。

一時的なコリは、10分程度でよいですが、慢性的なものは20分以上を数日以上続けます。

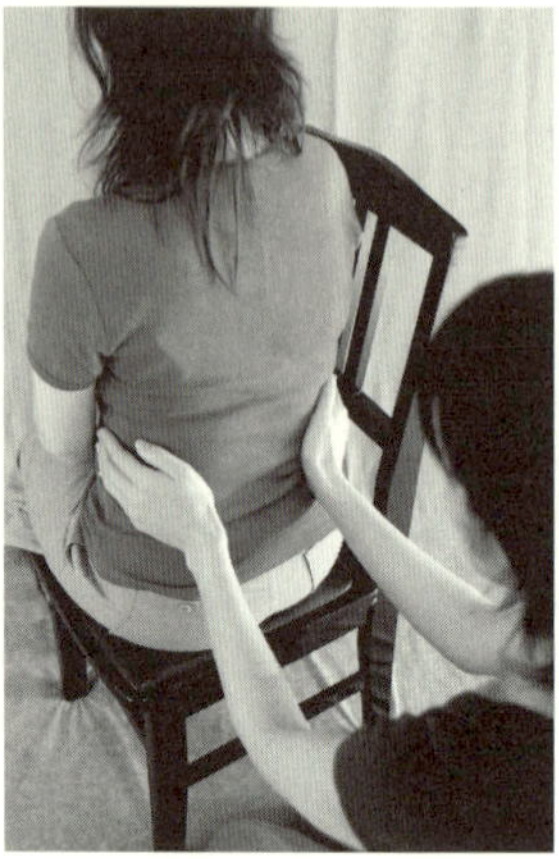

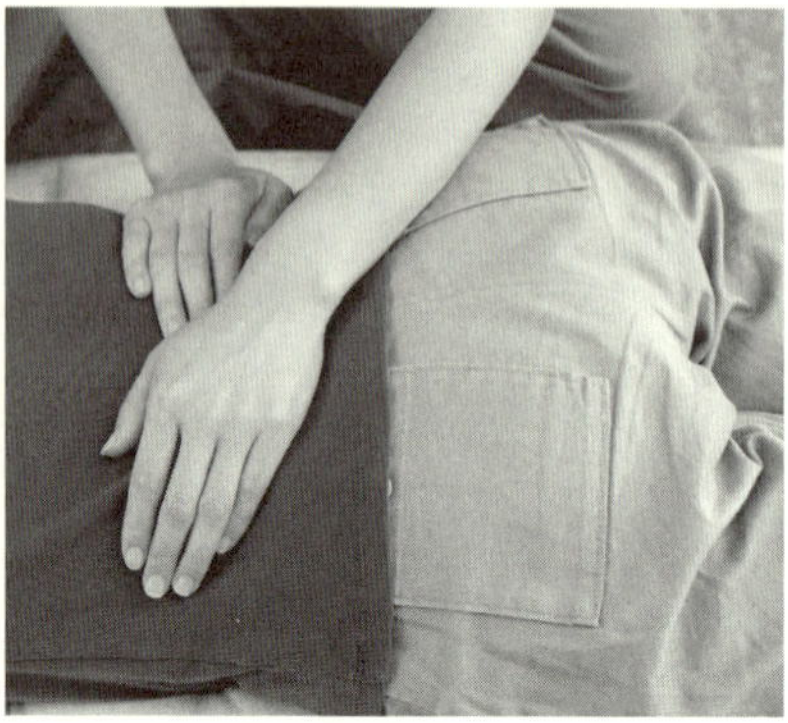

うつ伏せがつらい場合は、椅子に座ってもらい、手を当てると良い。

腰

肩こりと並んで多くの人が腰痛で悩みます。

典型的な問題箇所は、ちょうどベルトの高さ（ズボンの上端）の位置ですが、人にとってはこれより上になったり、もう少し臀部寄りだったりします。左右の位置は、背骨に近かったり、逆に脇腹に近い場合もあります。

また筋肉ではなく、腰椎が悪い場合もあります。それから、腰が悪い人は仙骨（骨盤の中央部分）が弱っている場合もあり、これもレイキをしてあげるとよいです。

仙骨は反応がゆっくりと起こりますので、数分程度の時間をかけて様子を見てみます。

肩と同様に、一時的なコリは、10分程度でよいですが、慢性的なものは20分以上を数日以上続けます。

ヒザ・ヒジ

ヒザやヒジが悪い時は、その箇所を手で挟むか包むようにしてレイキを送れば、深部へ浸透します。こういう身体の端の部位は血流が十分でなく、そのために回復のスピードも遅くなりがちです。

このような場合は、例えばヒジの場合は、まず腕の付け根や脇下にレイキをして流れを良くし、さらに上腕部をレイキし、それからヒジをレイキするのが効果的です。

ヒザなどは、まずソケイ部（腿の付け根）をレイキし、大腿部をレイキし、そしてヒザをレイキします。これは、P104の冷えのケースを参考にしてください。

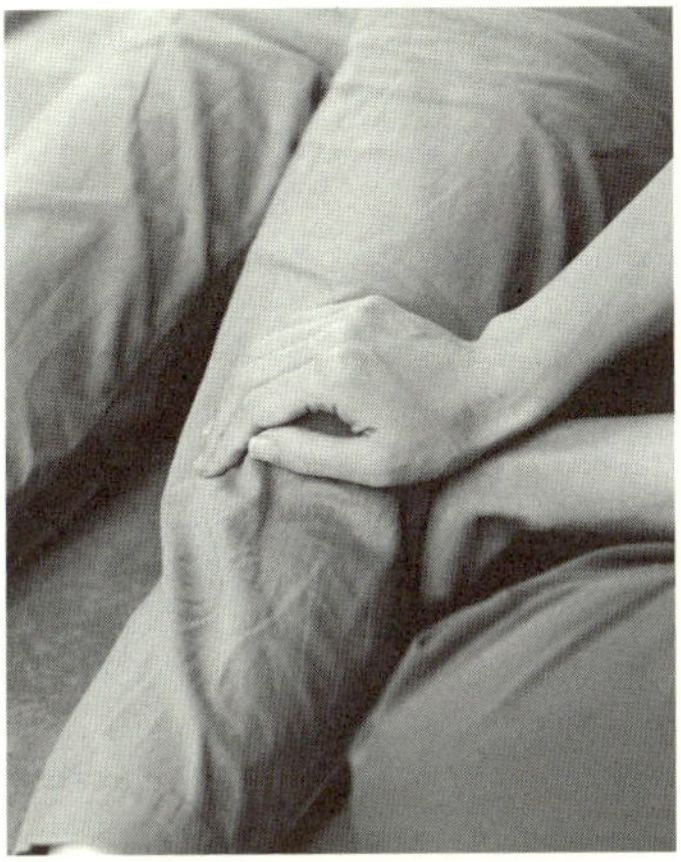

箇所を挟んだり、包むようにして
レイキを送るのが有効です。

頭痛

頭痛にはいろいろなタイプがあります。

いわゆる偏頭痛はレイキで容易にケアできます。偏頭痛の場合は、箇所がピンポイントではっきりしており、その部分をレイキするだけでよいでしょう。

偏頭痛は痛む箇所に手を当てる。首や肩にレイキを送るのも有効です。

ところが最近は、従来と違う難しさが現れています。特に顕著にみられるのが、首のコリから来る頭痛です。これはパソコンや携帯電話の多用が原因と思われます。このタイプの頭痛を訴えてくる人が、この2〜3年急増しました。

この場合は、痛いと感じている頭にレイキをしてもダメで、凝っている肩の上部や首をレイキする必要があります。こういった頭痛持ちの人は、首や肩がガチガチに凝っている場合が多く、20〜30分のレイキでは不足の場合も多々あります。

そもそも、生活習慣にも問題がありますから、気長にレイキしてあげる必要があるでしょう。

ただ、一週間レイキしても頭痛がとれない場合は、何らかの疾患の可能性もありますので、病院での検査が必要です。

それから、これも最近多くなってきていますが、ストレスから来る頭痛です。これは精神面にアプローチする必要がありますので、Ｐ１２２のようにレイキをします。

これも、根本的に解決するには時間や環境の変化が必要と思いますが、レイキは大きな助けになると思います。

消化器系

胃や腸などの消化器系は、その不調の臓器のあるあたりに手を当てます。こういった内臓は、体の前後から挟むようにレイキを送ると、深部まで浸透します。

胃は部分的に不調になるケースも多く、左側の肋骨端の胃の上部、脇腹の胃の底部などがあります。胃の出口付近から十二指腸の不調はミゾオチあたりに出てきます。逆に、胃全体に不調が現れる時もあります。

メンタルな要因で消化器系へ影響が出る場合も少なくなく、その場合はＰ１２２のメンタルなヒーリングをする必要があります。

一週間程度レイキを続けても改善が見られない時や、ヒビキがずっと強い時は医師にかかってください。

注：レイキは自己治癒力を活性化させますが、病気である場合は、しっかりとお医者様にかかってください。必要とする医療の代わりになるものではありません。

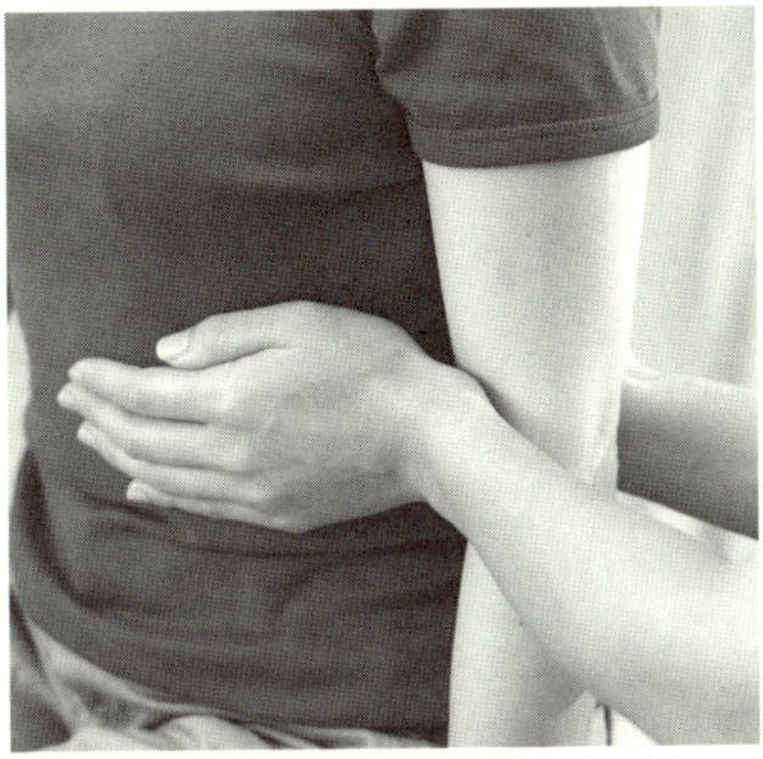

消化器系の不調へは、前後から挟むようにすると、レイキが浸透しやすい。

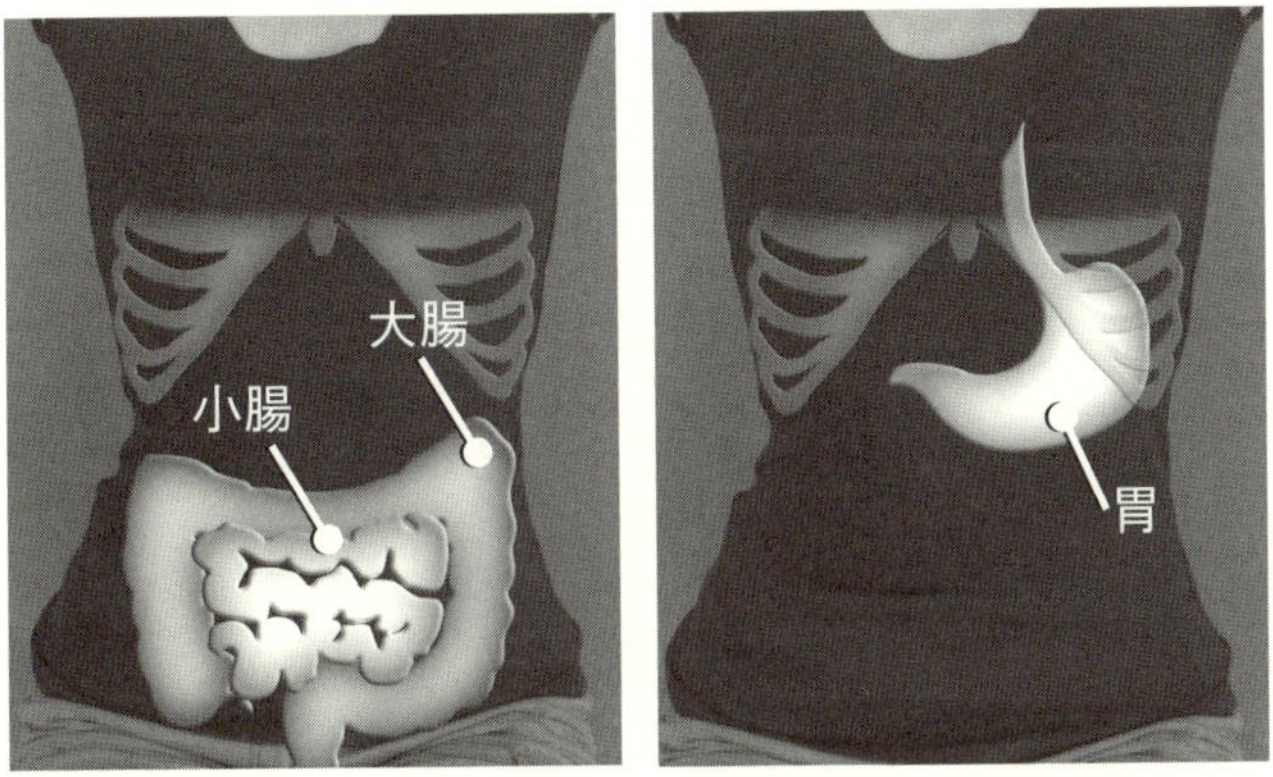

お腹が弱い方は、消化器系の不調が外出中などに不意に起こることもある。そういうときも、片手でもよいので不調箇所に当てて、自分で対処する習慣をつけましょう。

冷え

多くの冷えは腹部の活動が落ちていることから起こります。ですので、まずおヘソを中心とした腹部を十分にレイキします。背面から腰や仙骨にレイキするのも良いですし、腹部を前後に挟んでレイキをしても良いです。このようにして、しばらくレイキをしていれば、お腹が暖まり活性化してゆきます。

次にソケイ部（腿の付け根）をレイキし、暖まってきたらヒザをレイキし、暖まってきたら足首へと、暖まったのを確認しながら、順次末端へ移動してゆきます。

たいていの場合は、各ポイントで暖まるのに数分とかからないでしょう。人によっては、過度の精神的な緊張で冷えになる場合もあり、その時は最初にメンタルなヒーリングをしてあげる必要があります。

冷えは普段の生活スタイルに原因があるので、セラピーをしても徐々にもとへ戻ってしまいますが、適切にレイキをしてあげると、数日～1週間程度は冷えから解放されることが多いです。

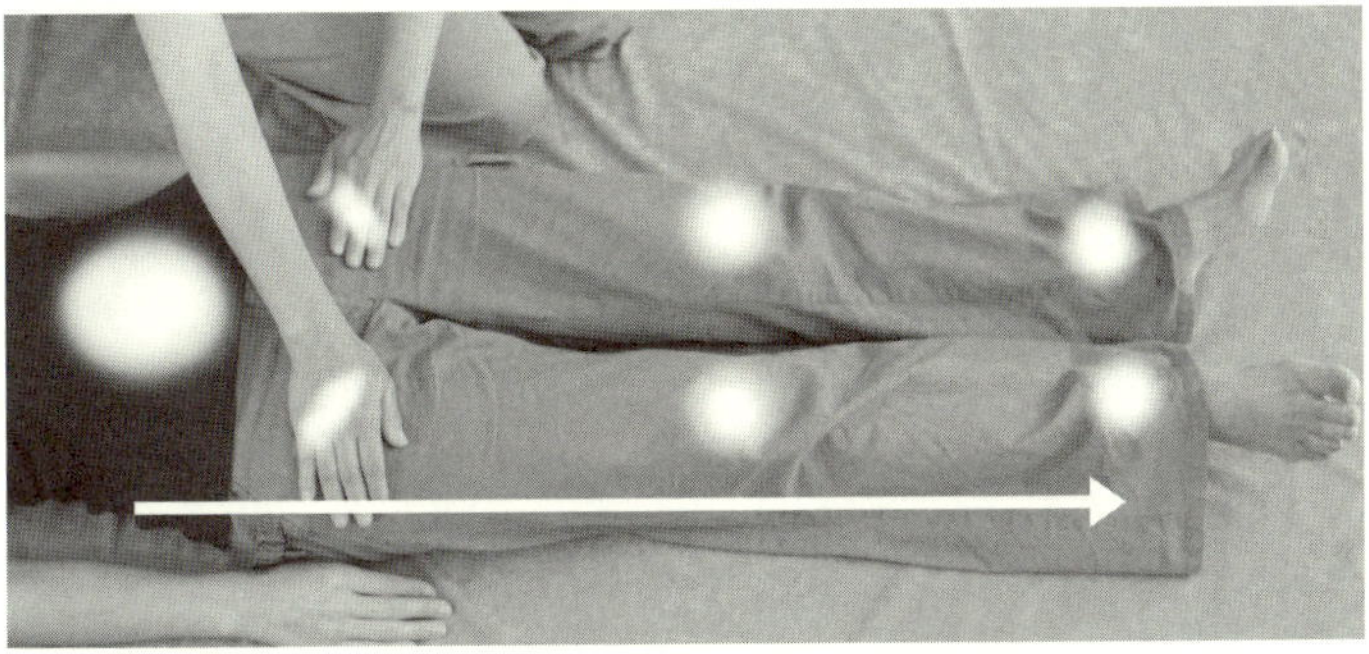

お腹をレイキして、順次冷えている方へ、手当てのポイントを移動してゆく。

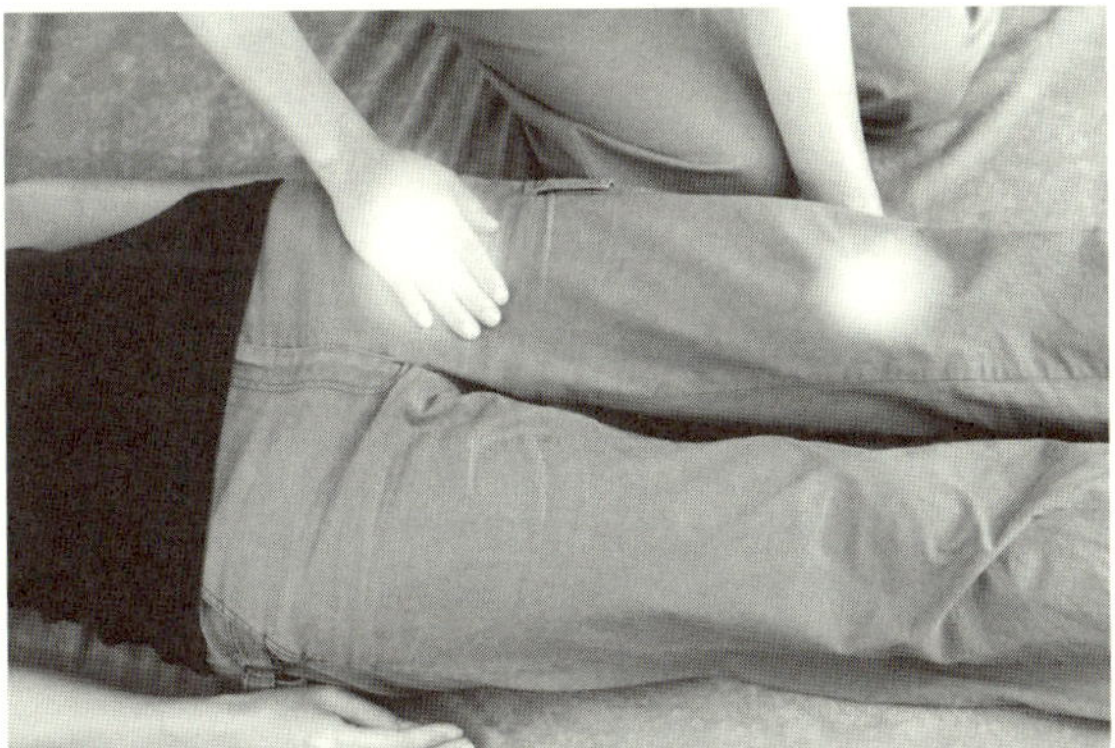

片脚ずつ、両手を2箇所に同時に当てながら、足先へポイントをずらしていっても良い。

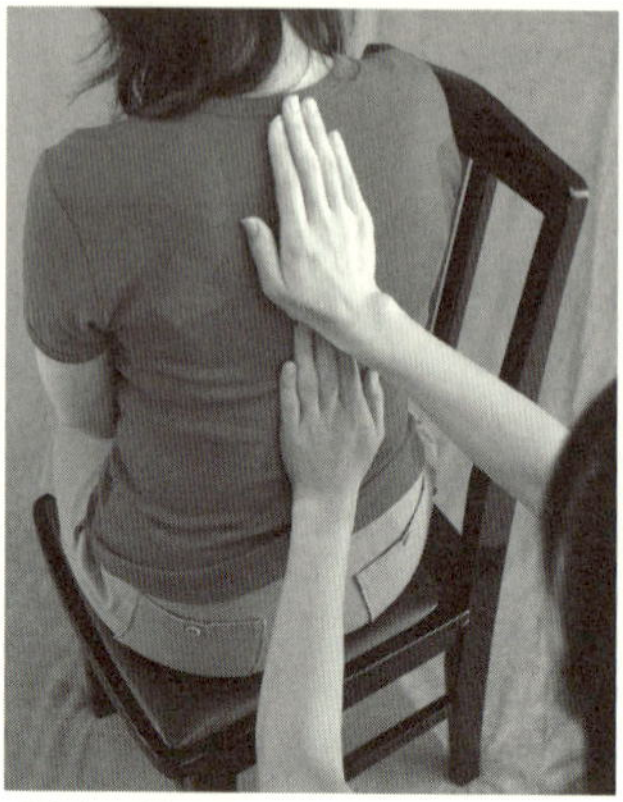

背骨に沿ってレイキ

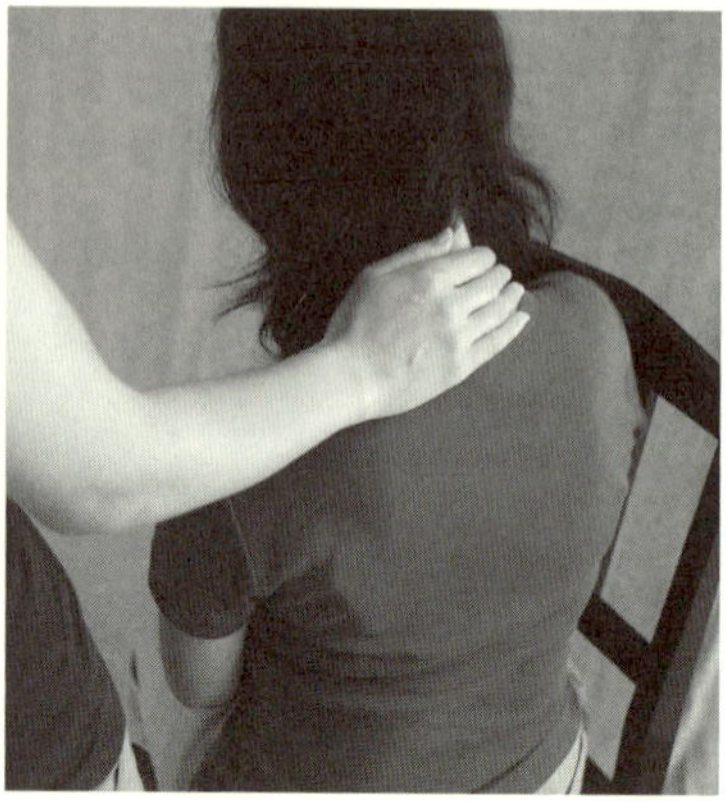

首のつけ根にレイキ

疲労

疲労は、精神的でも肉体的でも、万病の元になります。免疫力を下げてしまう要因でもありますので、日頃から早めにレイキでケアすると良いでしょう。

精神的な疲労は後述（P122）のメンタルなヒーリングを使います。

肉体的には、頸椎（首の後の付け根で骨を感じる箇所）や背骨にレイキをしてあげるのがお勧めです。背骨は疲労が激しくなくても、レイキをすると、とても気持良く感じる場所です。

また、疲労時には、肝臓と腎臓が大事な役割を果たしています。これらは、体の疲労物質を処理し、特に肝臓は細胞が元気を取り戻し再生するための、各種の生理物質を製造しています。お酒を飲まなくても肝臓をケアするのは非常に重要で、健康維持の第一歩です。

肝臓は肋骨下部の右半分のエリア全体です。ここを

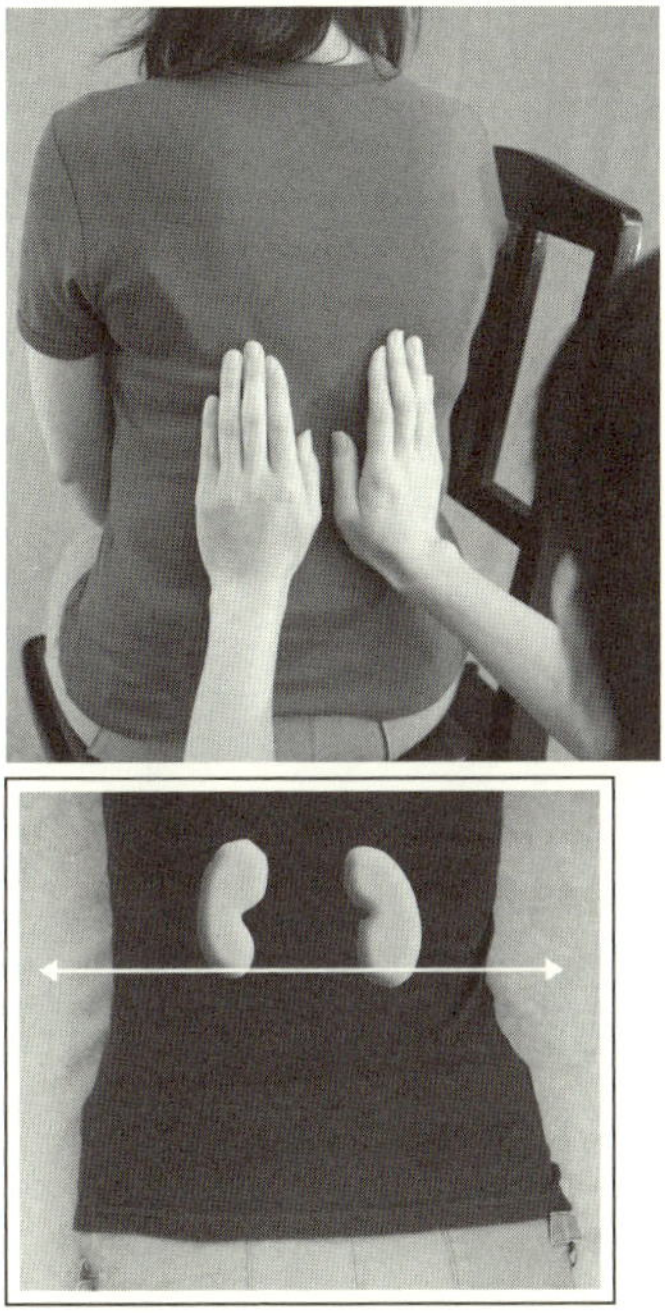

腎臓（ウエストのくびれの上）

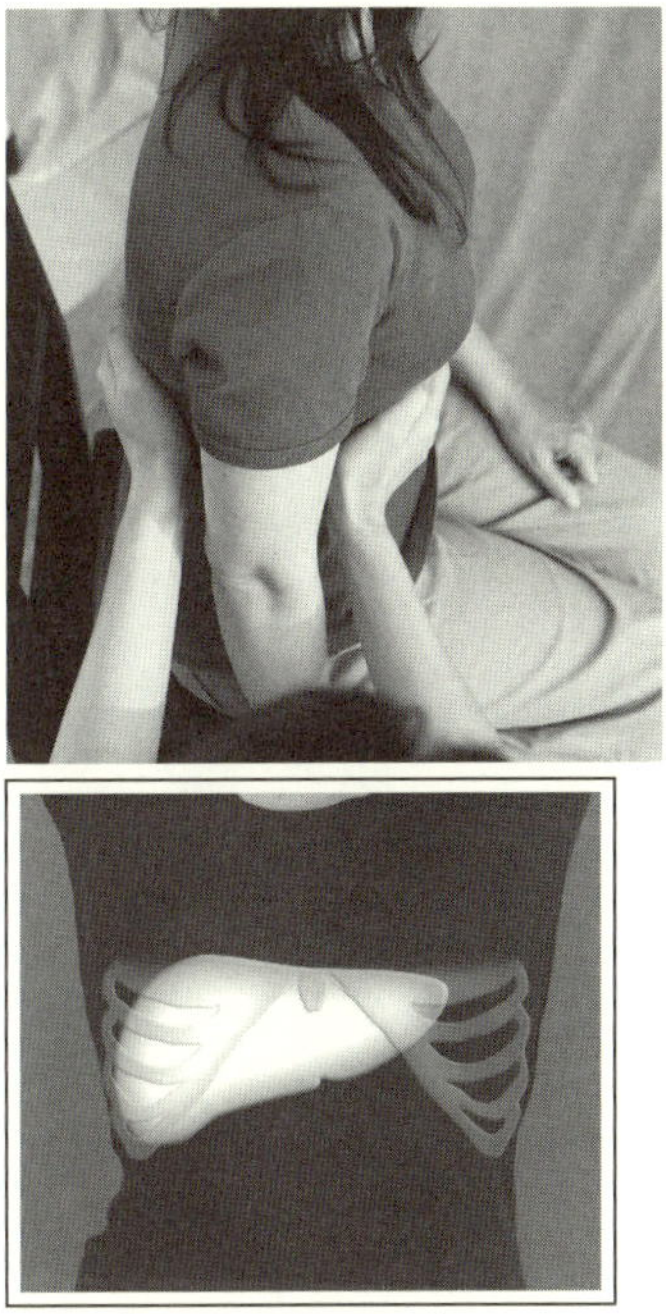

肝臓（右側の肋骨下部）

前後で挟んでレイキするのが良いです。肝臓は、レイキに対して非常に敏感に反応し、少し疲れている程度からかなりの熱感を生じるでしょう。

腎臓は、背面のウエストの一番細くなっている高さから4〜5㎝上で、背骨両側の左右をレイキします。

腎臓と肝臓はセラピーの要です。大人だけでなく、子供でも同様です。

ヒビキを感じられる場合は、腎臓と肝臓を普段からチェックしておくと予防ができます。私自身もたまにチェックしていますが、「あれっ、疲れているな〜」と知らない間に疲れがたまっていることがよくあります。

風邪の時

風邪は皆さんを共通に悩ますものです。特に、乳幼児や小さいお子さんをお持ちの場合、お母さんは大変です。

風邪の引きはじめにレイキを活用すると、自己治癒力・自己免疫力を活性化させ、大変に有用です。なかなか風邪の症状が抜けないときにも活用することができますが、やはり引き始めのできるだけ早いタイミングで、レイキをしてあげるのがポイントになります。

まず、熱があるときは、レイキ以前に熱のケアをしてあげましょう。私の家庭の場合は、子供の熱が37度程度の時はそのままレイキすることが多いですが、38度を超えると、まず氷枕、氷嚢や絞ったタオル等を、首すじ、脇の下、脚の付け根等に当てます。ただし、発熱は自衛作用なので、冷やしすぎないこと。水分もきちんと摂らせます。

このように熱のケアをしてあげてから、以下のポイントにレイキをします（子供でも大人でも共通）。

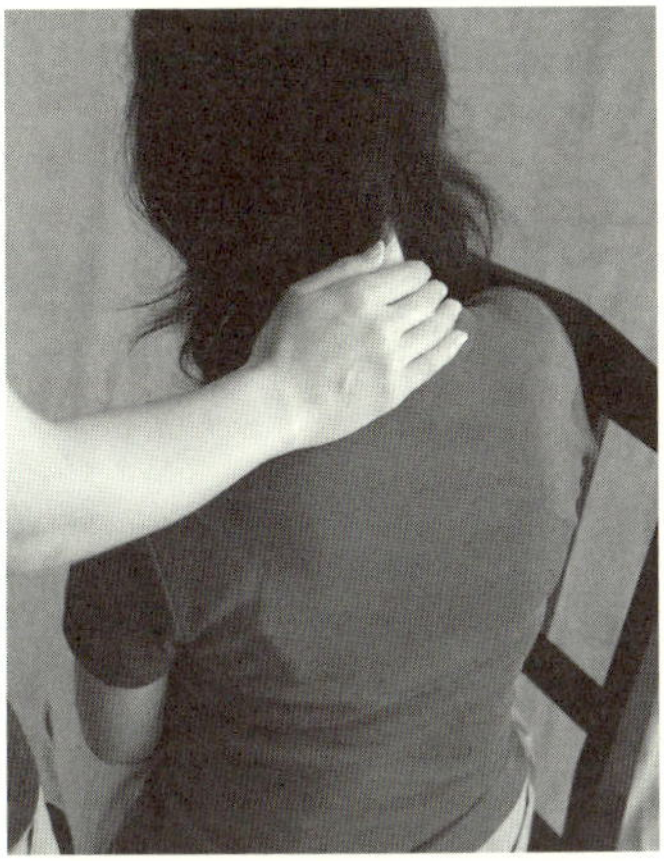

首のつけ根の骨を感じる場所

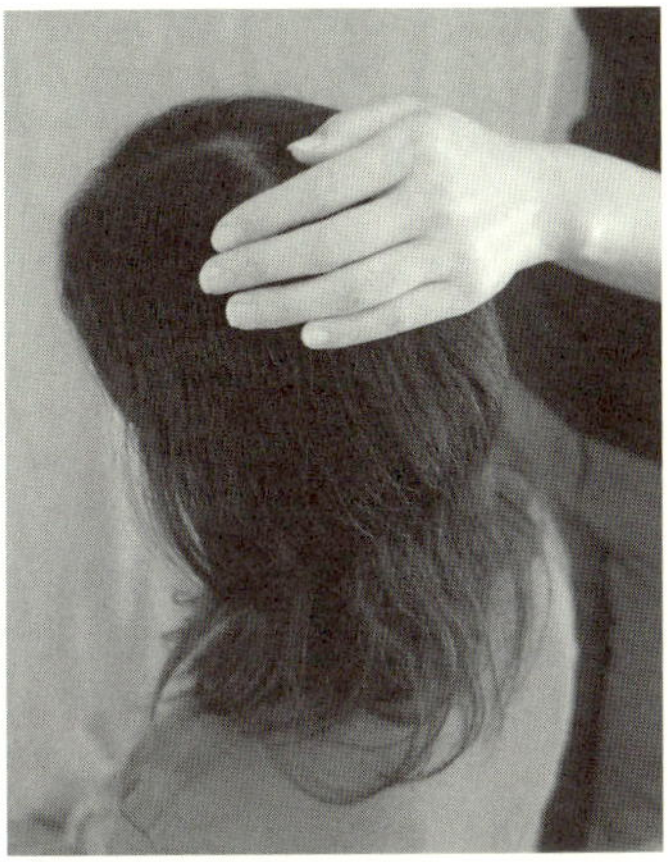

頭頂より3㎝ぐらい後

1. 頭頂よりも後ろへ3㎝ぐらいずれた箇所。このポイントは風邪を引いたときにヒビキが出やすい場所で、場合によってはかなりの熱感になります。

2. 首の後で、付け根の骨の出張りの箇所（第7頸椎）。ここはツボでもありますが、気が入りやすく、風邪の時のほかに、一般的な疲れや睡眠不足の時にヒビキが出やすいのです。ここも場合によってはかなりの熱感になります。

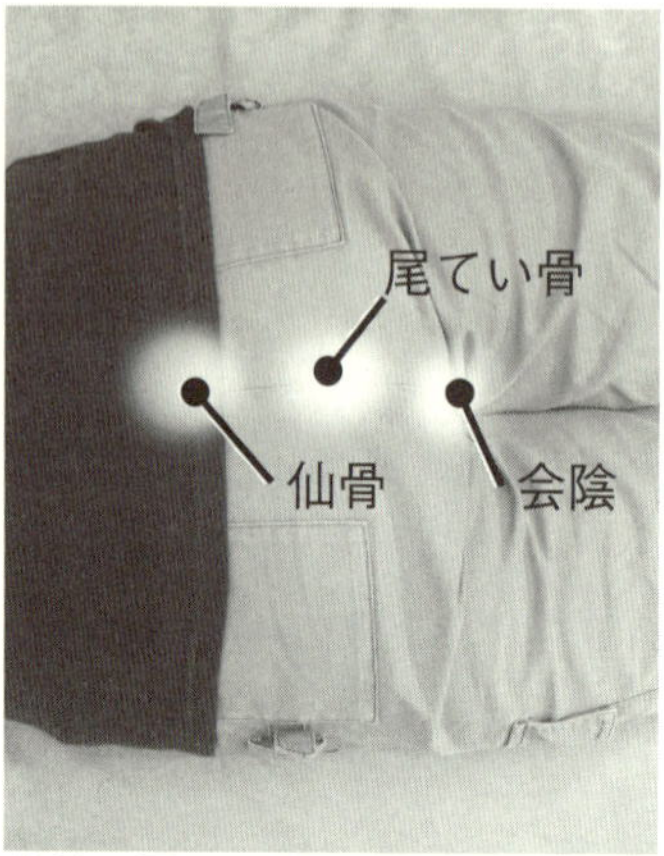

仙骨、尾てい骨、会陰

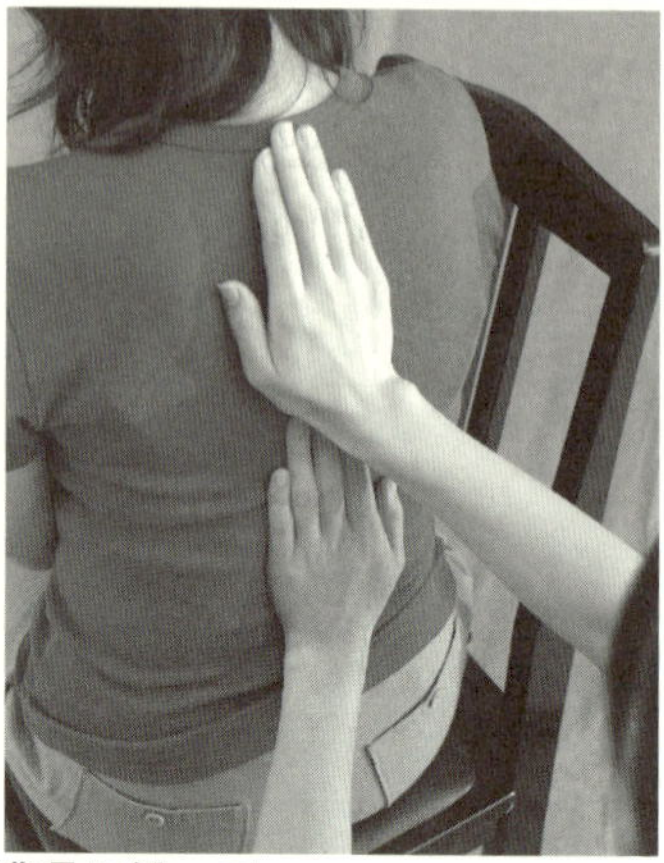
背骨に沿って

3．背骨に沿って当ててゆきます。不思議ですが、背骨全体が反応して背骨だけが熱くなる場合もあります。風邪以外にも疲労・睡眠不足の時によいです。

4．その他に、仙骨（骨盤の中央の部分）、尾てい骨、会陰などもヒビキが出る場合もありますので、チェックしてあげるとよいでしょう。

これら風邪の時のポイントは、一般のレイキの文献には出ていません。著者が経験的に発見して、自分や家族に使い、また他の人にも使ってもらって、実績と確証を得た内容です。これらのポイントと同

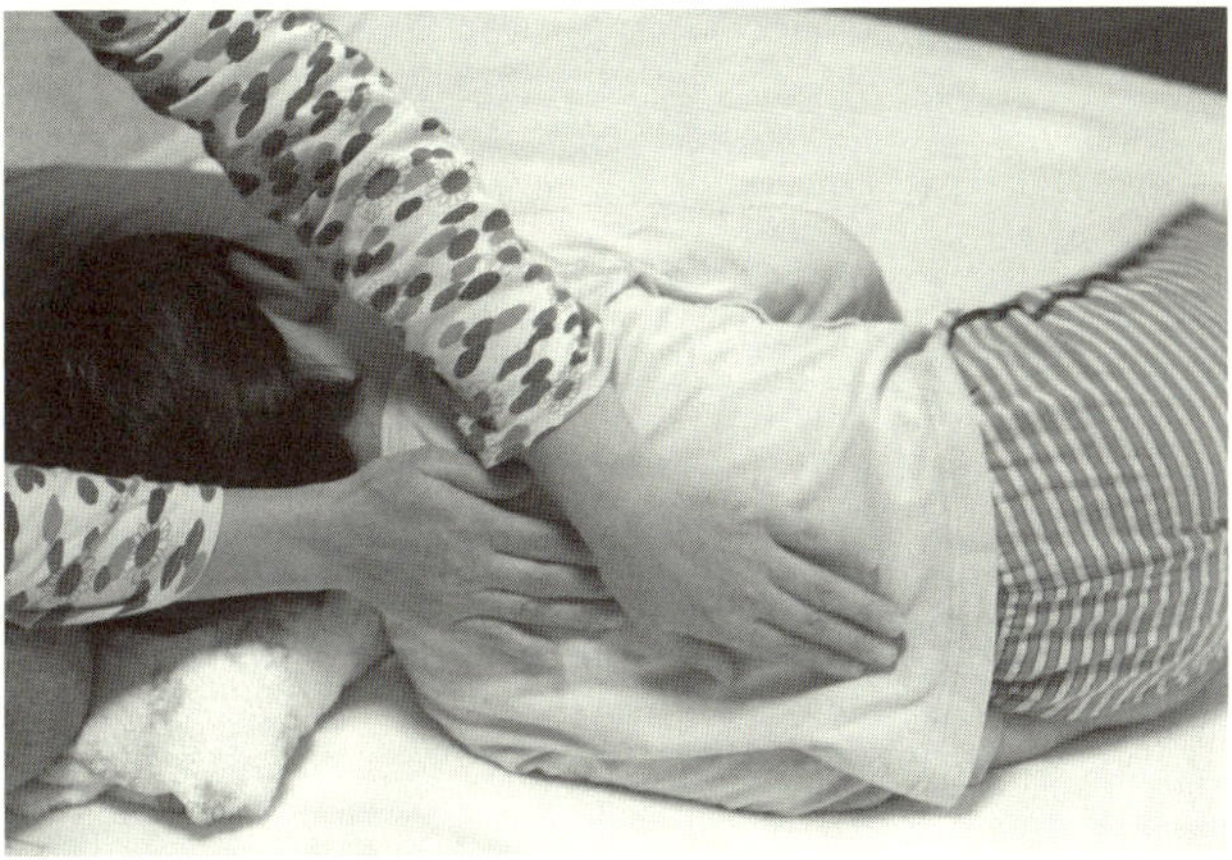

時に、疲労回復・解毒の意味で、肝臓と腎臓にもレイキをするとよいでしょう。

私の子供の場合は、真夜中に急に39度台まで熱が上がっても、前記のようにレイキをしてあげると、20～30分で熱が落ち着いてきて、スッと気持ちよく眠りに落ちて、さらに熱が下がり、翌朝はケロリとして幼稚園へ行くということが何回かありました。

夜中に高熱が出ると親はとても困りますが、そんなときレイキは強力な武器になります。しかし、39度を超えはじめると危険水域ですから、自分を過信しないで、お医者様へ行くことも必要です。また、熱が下がりにくい場合はインフルエンザの可能性もありますので、これも医師にかかる必要があります。

プラスα 風邪を引くということ

現代人は、風邪は絶対的に悪いものだという感覚がありますが、それは正しくありません。風邪を引くと、身体が非常に緩み、熱が出ることで代謝が促進されて、解毒作用も起こります。風邪は身体をリセットしてくれるのです。もちろん、身体に根本的な問題があれば、風邪は万病の元になり得ますが、ある程度健康な人にとっては、身体をリセットしてくれて、自己治癒力や自己免疫力を働かす良い練習にもなります。

こういった考え方は、整体を確立した野口晴哉先生の著書［文献（10）］に学ぶことができます。引き始めにうまく回避できなくて、風邪を引ききってしまったら、あとは慌てずにじっくり養生するのが一番です。

完全に引いてしまったら、逆に風邪を活用してください。それをしないで無理していると、結局長引いてしまって、風邪を引く意味も低くなってしまいます。

中耳炎

中耳炎は子供がかかりやすく、風邪と並んでお母さんを困らせるものです。私の子供もよくかかりました。これは耳を挟むようにして両側からレイキをします（20分以上を数日以上）。片耳が悪い場合でも、もう片方も状態が悪い場合が多いので、必ず両耳にレイキします。

痛みのある場合は必ず耳鼻科で診察をしてもらい、治療を受けてください。抗生物質は有効です。私の子供の場合は、レイキを併用した時に、お医者様から「何でこんなに早く良くなっているの!?」と驚かれたことがあります。他のお母さん達の体験でもレイキを併用して、回復の速度をお医者様が驚かれたという例があります。

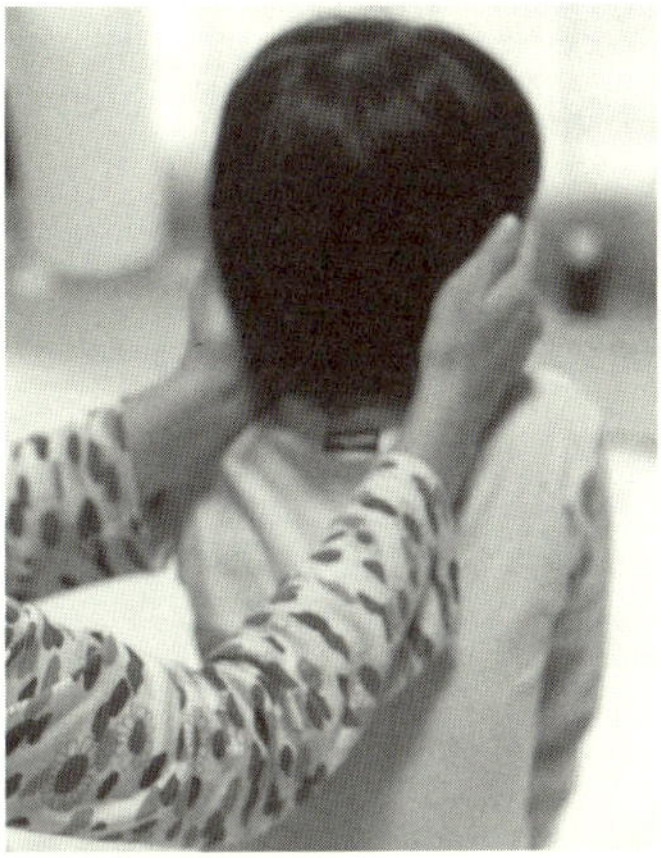
両耳を挟むように

また、ヒビキを感知できるようにしておくと、病気になる前の、状態の悪くなった段階で発見でき、レイキだけで未然に防ぐことができます。耳の位置と耳たぶの後側に感じる場合が多いです。中耳からのヒビキは奥から来ますから、熱感は手を耳に当ててから感じ取れるまで、数分かかる場合もあります。

婦人系の問題

近年、婦人系のトラブルは増える一方です。これは生活スタイル、服装の西洋化、高脂肪な食生活などが大きく関わっていますが、女性の社会進出に伴って、精神的そして肉体的なストレスが急増していることもあるようです。

生理不順、無月経、月経前緊張（ＰＭＴ）、重い生理痛、子宮筋腫、子宮内膜症、カンジタ感染、膀胱炎、各種のガン、など女性を脅かす問題が多く発生しています。そして非常に困ったことに、これらは、はっきりとした原因が曖昧で、何をすれば予防でき、何をすれば治るという方針が確立されていないのが現状です。こういった病気になってしまう前に、普段からレイキをお腹にしてあげて、予防をするのが大事だと思います。

基本的には、子宮・卵巣・膀胱などにレイキをすればよいです。片側からよりは、下腹部と仙骨（骨盤の中央部分）を挟んでレイキするのが良いでしょう。下腹部だけではなく、腰も含めて腹部全体にレイキするのもよいです。

またそういった臓器だけではなく、メンタルなヒーリングも必要な場合がほとんどです。

婦人系の問題も、状態が改善しない場合は、婦人科にかかることが必要です。

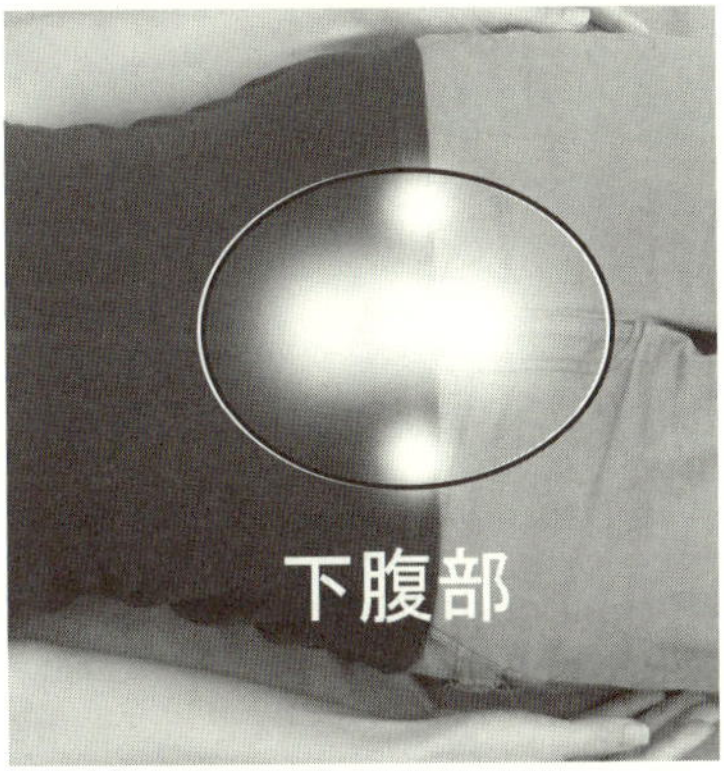

仙骨と下腹部を両手で挟むように。
また、腰を含めて、お腹全体にレイキするのも良いでしょう。
婦人系の問題は、生活のスタイル、ストレスなども影響して、何が原因かをはっきりとはできないことがほとんど。応急的な対処はもちろん、普段からのレイキをしておけば、予防にも役立つはずです。

腹痛・吐き気

腹痛の場合は、お腹にレイキをします。できれば、背中側とサンドイッチした方がよいでしょう。

レイキをすると、その後で排便したくなり、便が出ることがよくあります。これは腸内の良くないものを身体が排出しようとしているので、心配はいりません。その排便の後に、楽になり回復が始まります。

吐き気の場合もお腹と同じように、胃の部分にレイキをします。その後で嘔吐することがありますが、これもけっして悪いことではなく、消化できないで胃に残っている物を身体が排出するのです。

私の子供の場合は、夜にレイキした後に、朝食べたものを吐いたことがありました。その後で、本人は楽になり、急速に回復が始まりました。レイキの後の様子をよく見てあげましょう。

ただし、腹痛や吐き気は、単に風邪や不調だけではない場合もあります。その他の症状や本人の元気度などを、詳細に観察してあげて適切な医療を受けることもとても大事です。

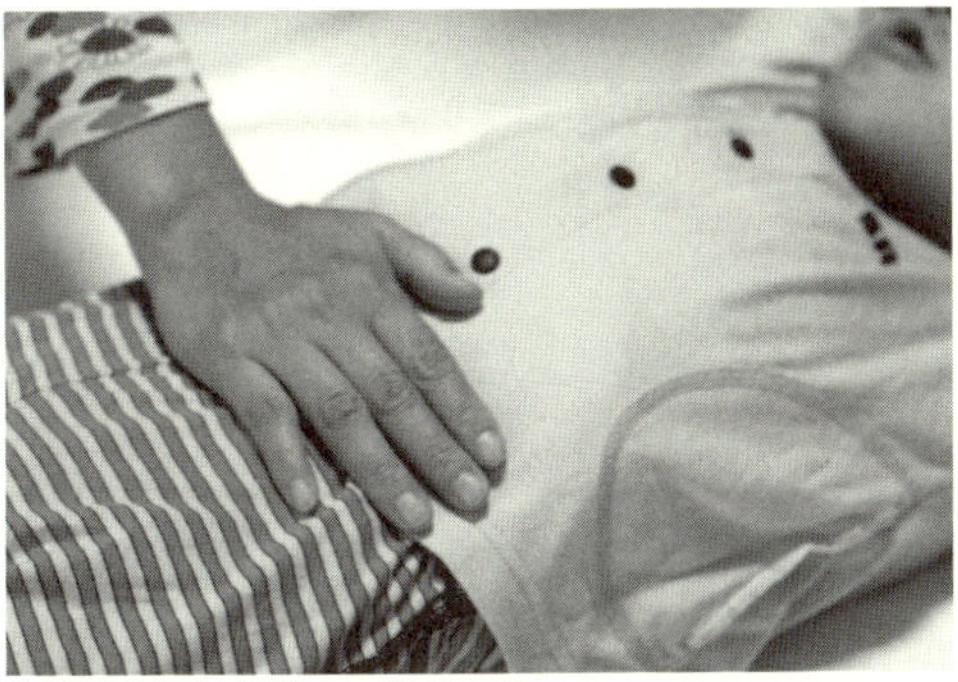

お腹にレイキします。押さえつけず、やさしく。

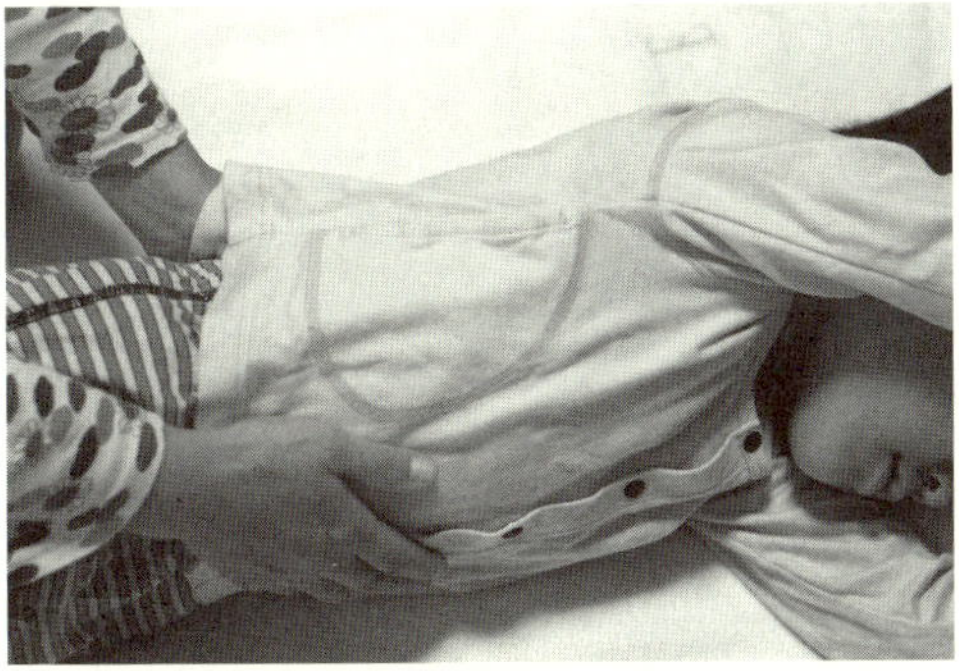

相手の負担にならなければ、横寝になってもらい、サンドイッチしてもよいでしょう。

ケガ・火傷

レイキは、臼井先生がレイキを見つけた時のように、ケガにとても有効です。

私たちはケガの時に、これまでの習慣の通り、薬を塗ったり絆創膏を貼ったりするのに気を取られますが、まずレイキを思い出して、即使っていただければ、驚かれることが多いと思います。もちろん、救急処置が必要な場合はそちらを優先します。出血が多ければ、まず止血をします。

ケガでもっとも大事なのは、いかにケガをした直後に適当な処置をするかにかかっています。これは「細胞や組織はその直前の状態を覚えている」と表現されるぐらいで、直後に処置をすればするほど自己治癒力が発揮されます。直後にレイキをするのと、5分経ってから、あるいは10分経ってからレイキするのでは、その自己治癒力に驚くほどの差が出てきます。

レイキは道具が一切いりませんから、ケガの直後にパッと手を当てることで、この自己治癒力を最大限に活性化させてあげることができるのです。

ちょっとした擦り傷・切り傷・打撲であれば、薬を探しにいっている間にレイキをした方が、自己治癒力が最大限に働き、ずっと治りが早くなります。

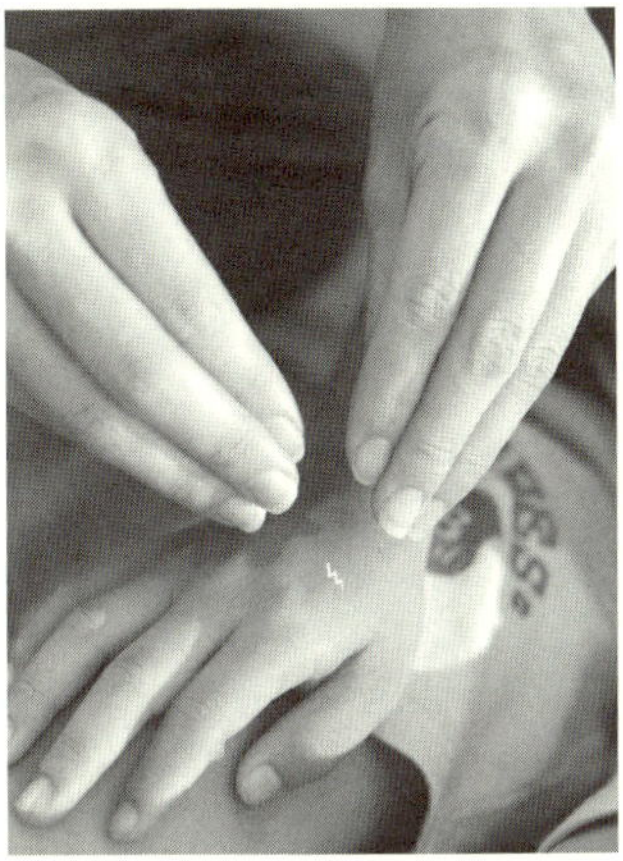
束ねた指先からビーム状に

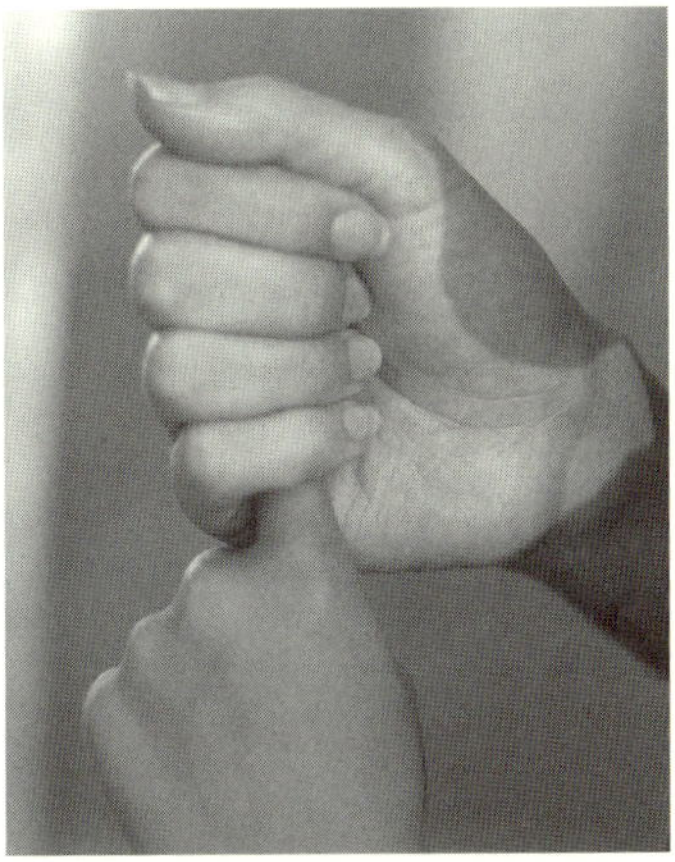
手のひらで包んで

切り傷は、軽いものでしたら傷口を心臓よりも上にすれば、血が止まりやすくなります。さらに止血が必要なら、まず圧迫止血し、ガーゼなど厚めに当て、その上から結んでコブを作ったガーゼで縛ります。ガラスなどのケガ、屋外でのケガの時は、一度、傷口をサッと流水で流します。そして、切り口をくっ付けるように押さえてレイキをすれば、5分ぐらいで切り口はくっ付いて、血も完全に止まり、そのあと直りも早く、痕に残りにくくなります。（実はこれは、ラベンダーやゼラニュームなどのアロマオイルを使えば、同様な作用を起こします。）

局所的な切り傷は、指先から出ているレイキをビーム状にして当てることもできます。

打撲も、直後でまだ腫れが始まる前にしっかりレ

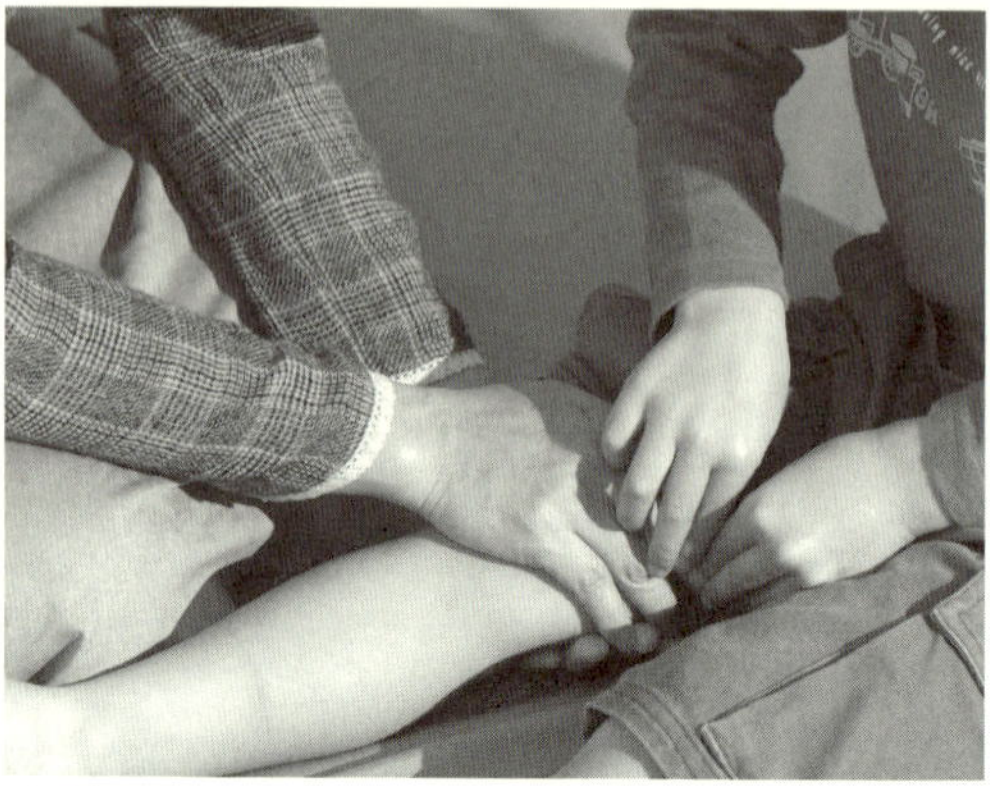

ケガはできるだけ早くレイキするのが最大のポイント

イキをすると、腫れは最小限ですみ、レイキを続けているると赤みが広がるように薄く変化してゆきます。レイキは簡単に組織内部へ浸透しますので、皮膚に塗る薬よりも利点があります。打撲は、見かけよりも内部の組織を壊している場合が多く、切り傷よりは長い時間レイキをする必要があります。

火傷にもレイキを使えますが、私の経験ではアロマオイルのラベンダーを使った方が良い結果が得られています。

アロマオイルは、品質のしっかりした「真性ラベンダー」や「アングスティフォーリア」と呼ばれるものを、原液で数滴を局所的に使用しますが、まさに魔法のような驚異的結果をもたらします。ただ、その時にもレイキを併用すると良いです。火傷のように、触れるだけでも痛みがあるときは、手を数センチ離して送ります。

口内炎・虫さされ

私はわりと口内炎になりやすく、長年の悩みです。数ヶ月に一回ぐらいあります。口内炎にはアロマテラピーの精油を使って、実際に良い効果を出していましたが、ある時点からレイキを実験的に使ってみました。私個人の経験では精油よりもうまくケアできています。

口内炎にレイキを使う場合は、まず手を洗って指を清潔にしてから、その口内炎のスポットに中指を垂直に当てます。つまり、中指の先端から出ているレイキを局所的に送ります。口全体に手のひらを当てても、あまりうまく行かないと思います。

中指を垂直に当てて、局所的に送るのがポイントです。5分もレイキすると痛みがグッと軽くなりますが、10〜15分以上は必要でしょう。

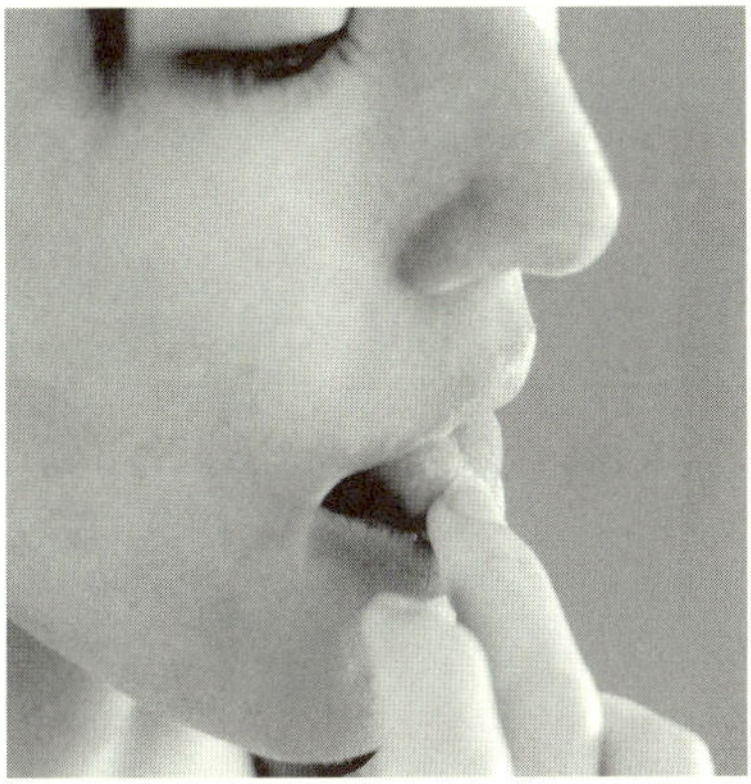
中指を垂直に当てる

虫さされの場合も、肌のその箇所に、中指を垂直に立てて、指から出るレイキを局所的に作用させると、うまく働きます。

メンタルなヒーリング

精神面にレイキを作用させたい時は、頭にレイキをします。多くの不調や病気は、何か精神的な背景があって、それが症状にまで拡大していたり、メンタルな原因で自己免疫力や治癒力が落ちて、起こっているケースが多いのです。頭部へレイキをするのは非常に大事です。

伝統霊気でも頭部への霊気は、どんな場合でもしっかりと行うように推奨されていました[文献（1）]。ここでは、「スタンダードポジション」と呼ぶ方法を利用します。

メンタルな問題を持っている人に対しては、ここに示したポジションを、全体として30〜40分以上すると良いです。

手を当てる順番は、受け手の人の違和感がなければ、どんな順番でもかまいません。口より上の部分は、タオルや手ぬぐいで覆ってあげると、手を当てやすいですし、受け手のリラックス度も増します。手の圧は、手のひらがタオルに触れているぐらいで十分です。

顔面（A）は、上から帽子をかぶせるように手を当てます。両手は大きく離れない方が良いでしょう。

側面（B）は、耳を覆う感じで手を当てます。手の位置は厳密でなくても大丈夫。

顔面（C）は指先が頬に乗るような位置にすると、手のひらが額をカバーするようになります。額やこめかみは、論理的に考えて悩んだり、仕事で思考疲れしたりすると、熱感やピリピリを感じやすくなります。

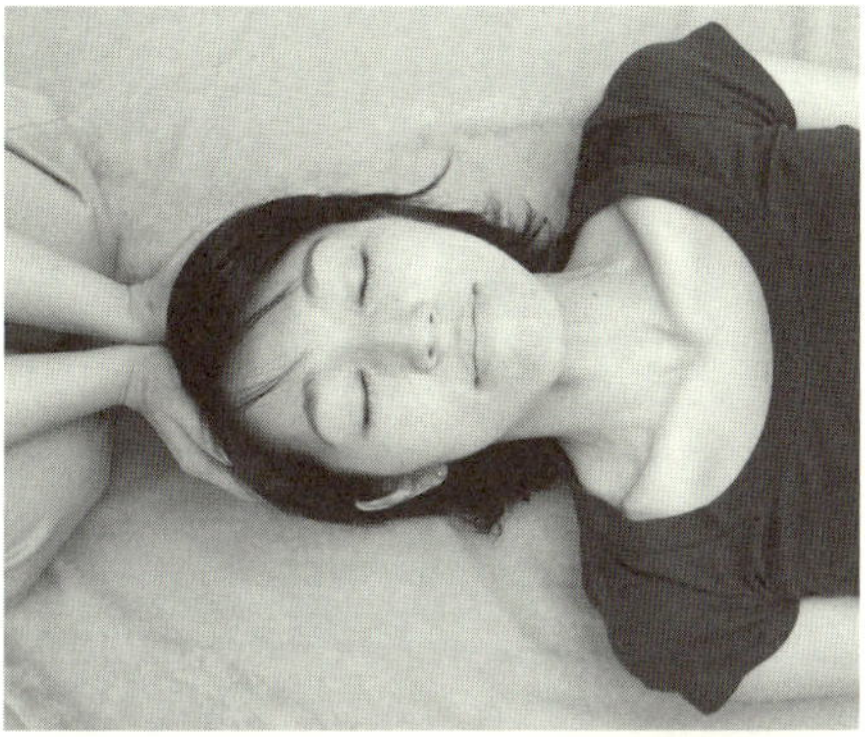
頭部（A）

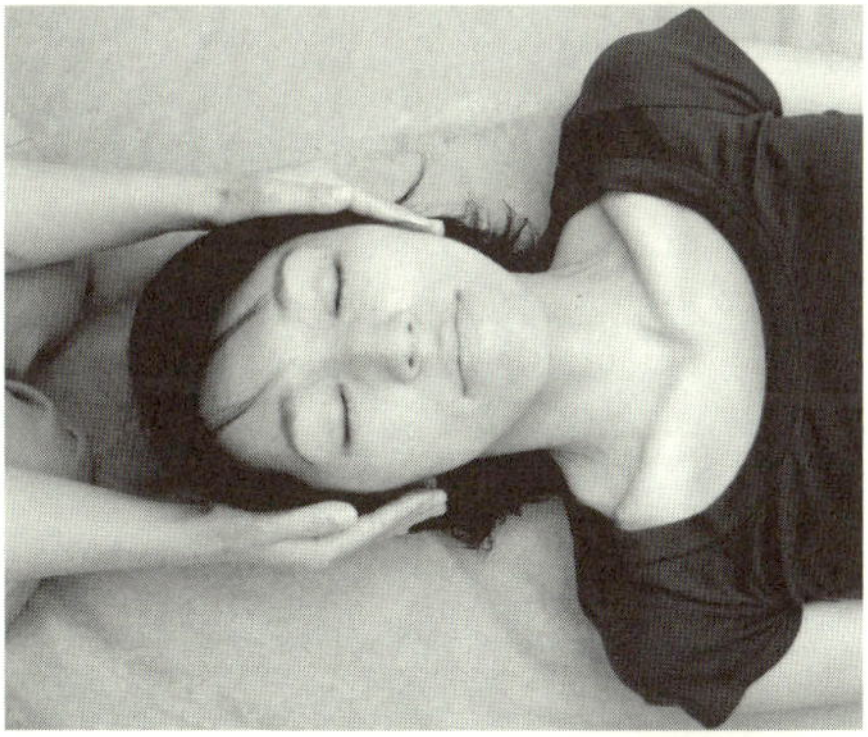
側面（B）

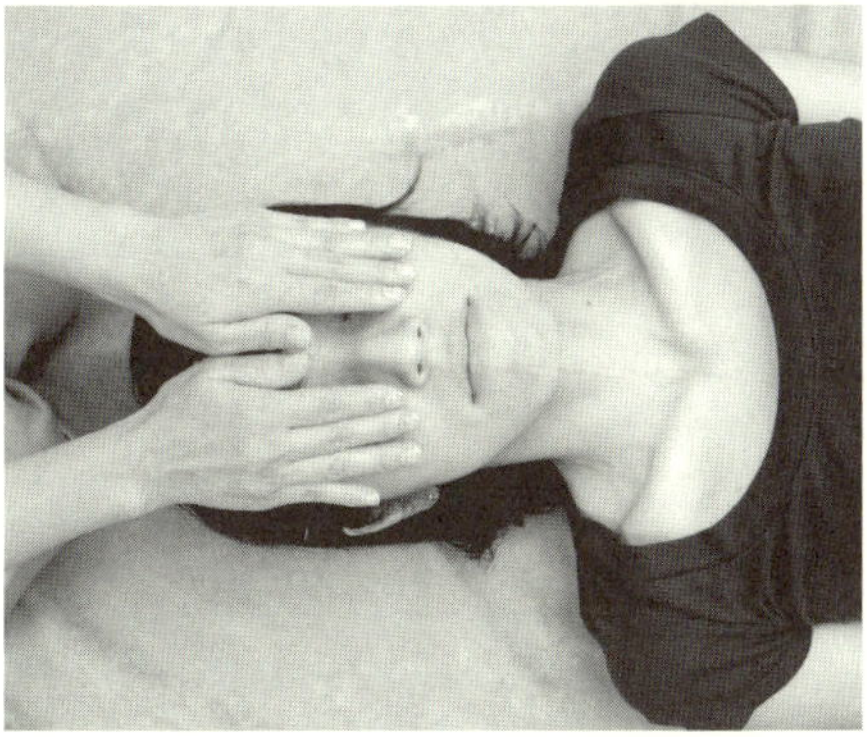
顔面（C）

後頭部（D）は、頭の下に両手を入れます。頭の下にタオルを引いて置いて、そのタオルの下から手を入れると、髪の毛を引っ張りません。このときは、「頭を少し上げてください」と伝えて、頭を上げてもらって手を入れ、「はい、下ろしてください」とするのが、もっともスムーズです。後頭部中央は大切なので、左右の手の小指同士を離さないようにします。

入れた手は、頭を支える必要は全くなく、挟まれているだけで、完全に脱力して柔らかくします。後頭部は、メンタルなものが出やすいですので、しっかりレイキします。

後頭部をレイキしていると、かなりの割合の人は瞑想状態になったり、意識がとんで脱力します。この後頭部のポジションは身体も心も緩ませる効果がとても高いですから、メンタルなヒーリングでは必ず入れるようにします。

胸元（E）は、手の重さがかかると苦しくなりますから、できるだけ軽く当てます。ここは不安を軽減する作用があります。

さらに、手と肩（F）は、意外に気持ちが良く、メンタルな面に作用します。特にウツ的な傾向のある人は、この手と肩は効果が認められます。その他に、ミゾオチや足裏も、人によってはメンタルな作用がある場合があります。

ちなみに、順番については受ける人に違和感がなければ、紹介した通りにする必要はありません。あくまでも、相手を感じながら、自分の感覚に従ってください。レイキする時間も同様です。

Ｐ79で詳しく述べましたが、メンタルなヒーリングをする時に、特に留意することは、手の

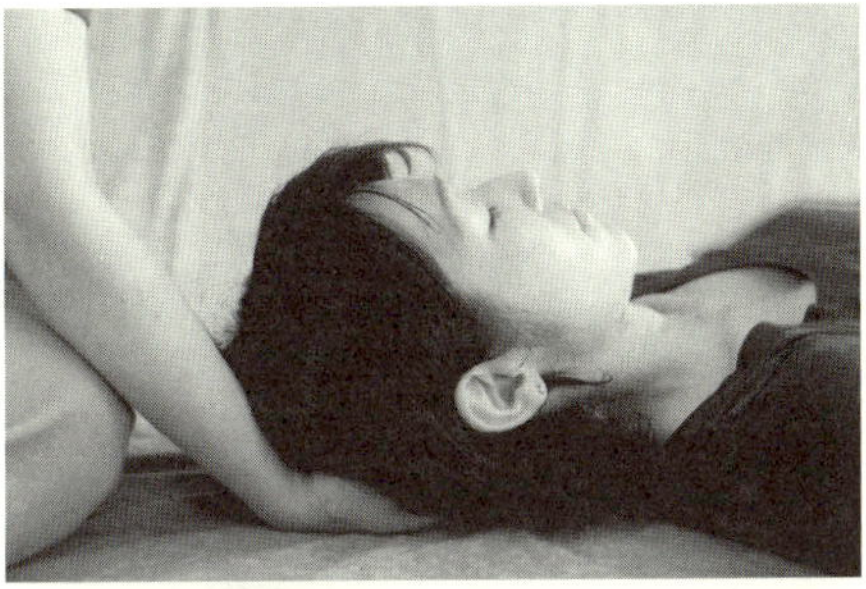
後頭部（D）

胸元（E）

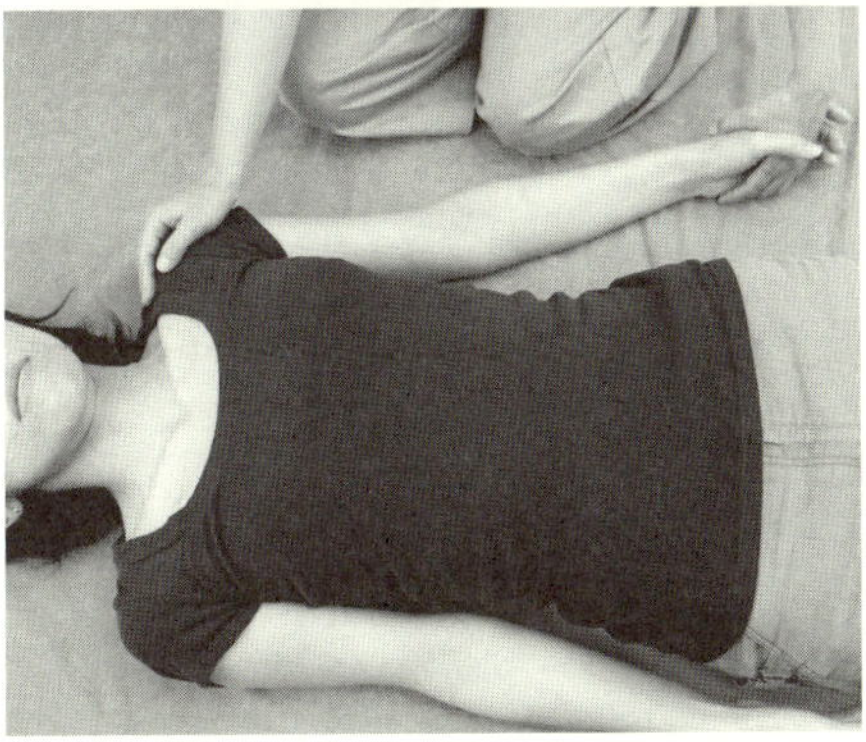
手と肩（F）

当て方を繊細に、優しく、圧を軽めにし、1cmぐらいからジンワリと当てます。離すときもジンワリと離します。

相手が大事に扱われているという実感が生まれると、心理的な効果が高くなります。

現代の身体の不調の多くは、精神的な辛さやストレスから来ていることが非常に多いです。

身体の状態が悪いときでも、5分でも良いのでメンタルなヒーリングを併用することをお勧めします。

第5章：対象による工夫

自分自身、幼児、ペットなどにも
レイキが使えます。
対象によって工夫をすると、
上手にレイキできます。

自分にもレイキが使える

自分にレイキを使う場合も、他人に使う場合も違いはありません。自分の身体は日常いつでも手を当てることができますから、不調箇所や凝っている箇所に、頻繁にレイキを送ることができます。

レイキを習ってから「あまり使う機会がなくて……」とぼやく人がたまにいますが、大きな誤解があるようです。第9章でも説明しますが、レイキスクールによっては、スタンダードポジションという一定のやり方をしないといけないとか、レイキする前に必ず浄化の儀式をしないといけない、などの指導をするところがありますが、これは大きな誤解です。このように教わってしまうと、日常の中で気軽に、自分にレイキをすることができなくなってしまいます。

自分には〝ながら〟のレイキを活用しよう

レイキはなんの準備も必要ありませんし、いつどんな時でも、どのような形でも使用できます。緊張していなければ、レイキは自然に出ています。ですから、ながらでもレイキを送って効果を出すことが出来ます。

ボーッとしている時、何かを待っている時、友人と会話をしている時、テレビを見ている時、お風呂に入っている時、携帯でメールを打っている時、電車に乗っている時、歩いている時、夜に布団の中に入った時、朝起きて布団でまどろんでいる時、これら全部が自分にレイキをするとても良いチャンスなのです。私などは、レイキ講座で話しをしている最中でも、自分の不調部分に手を当てているぐらいです。

こうやって、ながらでも使ってゆけば、「あまり使う機会がない」ことのほうが、かえって難しいぐらいです。

自由自在、臨機応変に

不調箇所があったら、〝ながら〟でもできる折々に、こまめに手を当てておけば、それで効果が出てきます。

もちろん、しっかりと落ち着いてレイキを送ったほうがレイキの量は出ます。ながらの場合は、レイキの量は少し少なくなりますがそれでも、頻繁に行えば確実に効果は出てきます。自分へのレイキは時と場所を選ばずに、何かをしながらでもできるという点を、大いに活用するのがポイントです。

もし、胃の調子が悪ければ、布団に入った状態で胃に手を当てて、そのまま入眠すればよいのです。毎晩やれば効果は必ず出てきます。なかなか眠りにつけなければ、頭、とくに額に手を当てていれば、いつの間にか寝入ってしまうこともあります。私などはテレビを見ていると き、目が疲れていると感じたら、片目に手を当てレイキをしながら、もう一方の目でテレビを見ています。これで目の疲労が取れてきます。

また、不調とかコリではなく、手を当てて気持ちがよいと感じる箇所にレイキを送るのは、良い自己ヒーリングになります。一定のルールがある訳ではなく、手を当ててみて自分が気持ちよい、心地よいと感じる所があったら、そこに手を当てて、その感覚を楽しめば良いのです。私の場合は、その時の直感や感覚に任せて、即興的に手を当てる場所を移動させて楽しんでいます。

参考までに、その一例を図でご紹介しましょう。この場合も、手を当てる箇所、当てている時間、姿勢はまったく自由です。寝っ転がって実行しても良いです。自分なりの手の当て方や順番をあみ出してください。

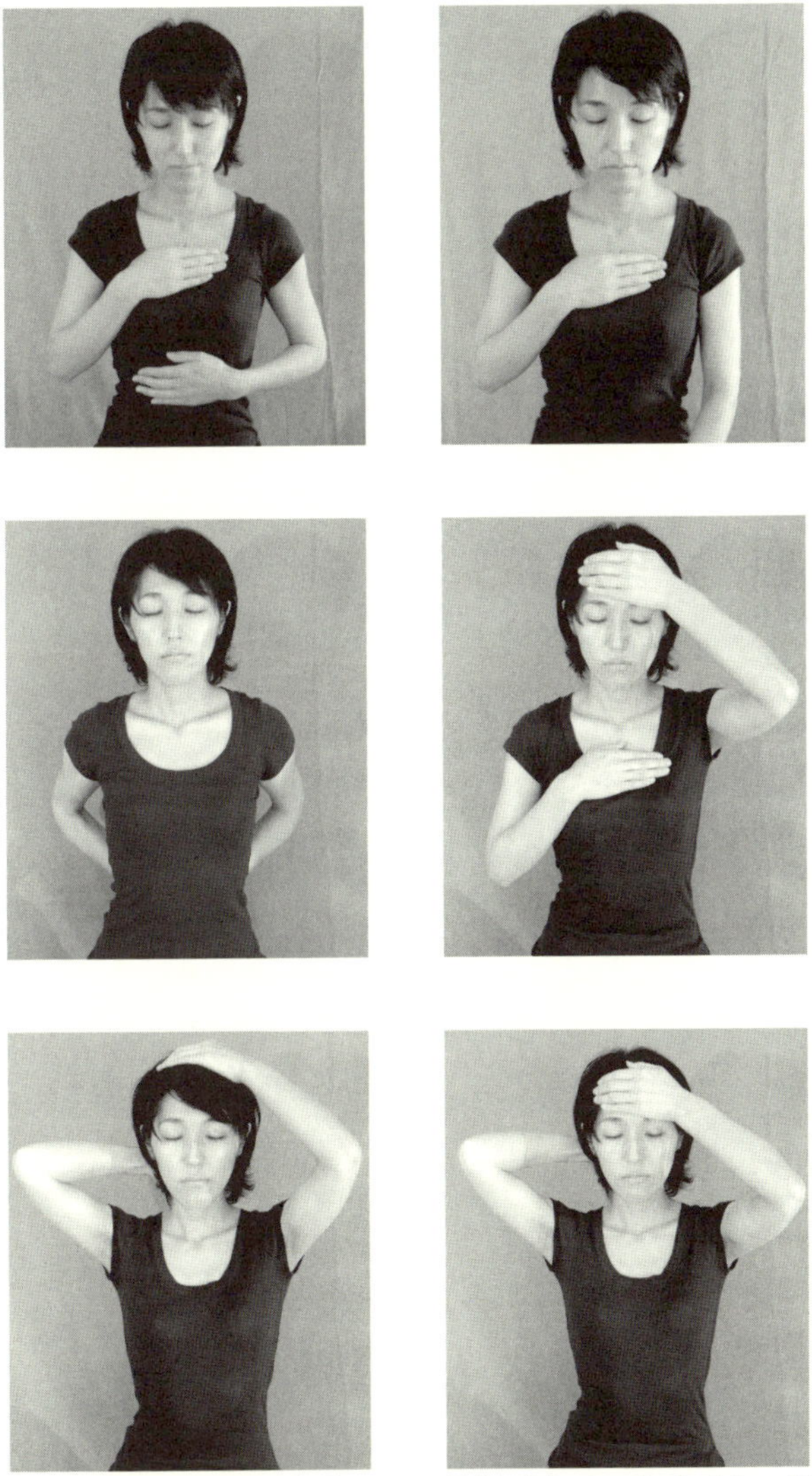

当てる順序、時間は自由に！　不調が出ていなくても、気持ちがよいところに当てることでセルフヒーリングに。

自分が病気の時

自分が軽い不調のときは、他人にレイキをしてあげると、かえって自分にも良いという話をしました。しかし、それを通り越して、完全な不調になってしまったときは難しさがあります。

自分がかなりの熱があるとき、痛みで苦しんでいるとき、風邪で完全にダウンしているとき、こういったときは自分で自分にレイキをしてもあまりうまく行きません。

この場合、他人からレイキしてもらう方がはるかに早く作用します。私が熱で寝込んだ時に自分でレイキしていましたが、20～30分やっても気のせいぐらい楽になった程度でしたが、妻にレイキをしてもらったら、5分ぐらいで熱が下がってきました。こういったときは他人のありがたみがわかります。

対象によって工夫する

乳幼児や子供

レイキは、乳幼児やお子さんの健康維持に大きくプラスになります。乳幼児やお子さんも、ほぼ大人と同じようにレイキをすることができますが、留意することがあります。

これはとくに幼稚園ぐらいまでですが、乳幼児・子供は気に対して非常に敏感です。手を当てなくても、数十センチぐらい離しても十分に感じることがしばしばです。乳児で頭頂から40～50cmのところに手をかざしてみましたが、突然キャッキャッと笑いました。手を引っ込めると止まり、何度やっても再現性がありました。

4才ぐらいの子で背中にレイキをしたら、40cmぐらい離してもくすぐったがっていました。実験してみるといろいろと発見があると思います。大人は成長する過程で鈍感になってしまっているということでしょうか。

乳幼児や子供のような敏感な対象には、いきなり手を当てることはしないようにしましょう。まずは、40~50cm離した距離から手かざしでスタートします。そして相手の反応を見ながら、手を近づけたり遠ざけたりして、強さを調整してあげます。

それから最初に手をかざすのは、頭部は避けるようにしましょう。うっとうしく感じたり、驚かれる可能性がとても高いです。

また、不調箇所は大人でも、手を当てられると熱いと感じたりしますが、乳幼児や子供の場合は、その熱さが不快と感じる場合もあります。その場合は不快と感じない距離まで手を離して、レイキの量を調整してあげてください。

子供には、〝ながら〟が有効

子供の場合は、なかなかジッとしていませんから、たとえばテレビを見ている後ろからとか、絵を描いている後ろからとか、何かに熱中している時にレイキするのも良いです。

また、寝ている最中にレイキをしてあげるのもやりやすいです。ただし乳幼児は寝ている間でも敏感で、手をかざすだけで、もぞもぞと動いて反応したりしますので、そういうときはやはり距離をとって調整してあげましょう。遠隔のテクニックが使える場合は、相手の様子を見ながら、目の前で遠隔で送るという方法も利用できます。

乳幼児や子供は、健康で元気であれば自分でエネルギーが満ちています。そのような時は「エネルギー足りてるから、放っておいて」「よけいなお節介しないで」というような反応をすることもありますから、相手の意志を尊重しましょう。追っかけて行ってレイキをする必要はありません。ただ、遊んで少し疲れたり、不調部分があったり、エネルギーが足りていない場合は、黙って自然にレイキを受け入れてくれるものです。

こういった対象は、レイキが必要か必要でないかを、自身で直感的にわかるものなのです。エネルギーが必要なタイミングをうまく見つけてあげると、素直に受け入れてくれます。

日常的にレイキを受ける習慣ができてしまえば、いきなり頭からやったり、最初から手を当てたりは、全く問題なくできるようになります。そして、自分が不調やケガの時は、進んで「お母さん、レイキして！」とやってくることでしょう。

プラスα　子供だって疲れている

一般的に大人から見ると子供は元気だ、ストレスなんかない、と考える傾向がありますが、これはとんでもない誤解です。乳幼児でも環境や親からのストレスがありますし、幼稚園児でも人間関係で悩んだり、親との関係で深刻なストレス状態になったりします。

私も、小学生で中学受験のストレスで、ボロボロのケースを受け持ったこともあります。ヒビキを感じられる人なら実験されるのをお勧めしますが、実は子供でも大人と大差ないヒビキ、つまり病気になっていない身体の不調があるのです。

小学生だって、肩がものすごく凝ったり、寝不足になったりします。幼稚園児でも、風邪を引いたり、疲れていれば腎臓に強いヒビキが出る場合もあります。

これは実は、私自身がいろいろな子供にレイキをして、ヒビキを調べて、とても驚いたことでした。私も以前は、子供は元気なものだという誤解があったのですが、実際にヒビキを調べてみると、何ら大人と変わりません。

大人と子供の違いは、子供は大人と同程度のヒビキがあっても症状に出にくく、また同様なヒビキの状態からの回復が断然に早いのです。だから、端から見ているだけだと、子供は元気だと誤解してしまう訳です。

逆に、この子は少し疲れた感じだなぁー、と見かけでわかるような状態の場合は、ヒビキを調べてみると、ボロボロの状態になってしまっていることが多いのです。ヒビキを感じ取れるようになって、日常で健康をチェックしてあげるのがベストです。

動物を相手にするときは、その個体の意思を尊重しましょう。

ペットも乳幼児のように

レイキはペットにも使えますが、動物は乳幼児以上にエネルギーに対して敏感で、言葉も通じませんから、特別な配慮が必要です。

動物の場合は、そもそも、今その個体がレイキを受けたいかどうかはわかりません。人間でも、その辺を歩いている人にいきなりレイキをすれば、困惑するでしょう。ですので、最初は手から出ているレイキの方向を、その個体から少し外して、開始します。まず、始める時は数m離れた距離から、手かざしで始めます。もちろん、頭部は後回しにします。

手のひらは床に近い高さに置きます。そして、ひたすら待ちます。

もしも、その個体がレイキを受取る位置に移動して来れば、レイキを受けたいという意思です。そのままの状態でレイキを続けます。

もしも、レイキを受けない位置へ移動すれば、特に興味がないということです。興味が見られなければ、それで中断します。

この様に、動物へのレイキは、全て相手の動きに任せるというのがポイントです。強引に近づいていってレイキを送っても、うまく行かない場合もあります。そして、その個体が慣れてくれば、もっと気軽に始めることができるでしょう。レイキが好きになった動物は、必要なときに催促してくる時があります。インコやカメなども、催促するようになったと報告を受けています。

クライアントに対して

レイキは、人に手を触れるセラピストや施術者にとって抜群に便利です。すでにお話ししたように、レイキは排他性が全くなく、道具も自分のエネルギーも使いませんから、他のセラピーや療法に組み入れやすく、併用しやすいのです。

たとえば、セッションの最初に、単にリラクゼーションとして頭部に10分でもレイキをすれば、心身がぐっと緩みます。これは特に精神的に緊張度が高かったり、心に閉ざした部分が多いときに、セラピーの効果をグッと上げます。

また、極端に凝っている箇所をもみほぐすのは大変なときがありますが、最初にその箇所にレイキをすると、無駄な力が取れ、血流も上がり、筋肉が弛緩し、もみほぐしやすくなります。

内臓に問題がある場合も、アロマセラピーのように直接に内臓に作用させられなくても、レイキでその内臓に直接作用させることができますから、補って相乗効果を出せます。

エステの場合は、パックなどで待っているときに、顔やリンパ系にレイキをすることでプラスの効果が出せます。

プロフェッショナルな療法の中で、レイキをどのように併用すれば、どのように効果が出てくるのかは、徐々に症例が集まっていますので、別な形で発表する機会があるかも知れません。


このように意識的に併用することもできますが、無意識的に併用されているということもできます。

レイキはリラックスしていれば、ある程度量が出ていますから、レイキをするという意識を持たなくても、クライアントにレイキが送られています。

アロマセラピストのように手のひらを密着させるような手技の場合は、アロマトリートメントをしているその間中、レイキは送られていることになります。そのことで、一層のリラックスが起こりますし、凝りなどの不調に相乗効果を起こしています。

エステティシャンにとっても、クライアントの顔付近で手技をしている間中、レイキが送れていますので、一層の美容効果が得られます。整体師の場合でも同様です。

これらの人達にとっては、労せずして相乗効果を出すことができるのです。

病人へのレイキについて

レイキは、医師の診断や治療を何ら否定するものではありません。霊気創始者の臼井甕男先生は大正時代の当時から「医科学は、いちじるしく進歩しているから、決して医療、薬などを無視したり、また排斥などすることは、不謹慎極りない」と述べられているほどです［文献（1）］。医師の診断や治療が必要な場合は、すぐにそのようにすべきで、闇雲にレイキにこだわるのは本末転倒です。そして、医師の治療を受けながらでも、レイキを併用して自己治癒力を保っておけば、治る期間が短縮されたり、薬を飲む期間が短縮されたりします。相反するものではありません。

もし、重篤な病人にレイキをするときは、自己治癒の目的でも体力が落ちていますので、最初は10分ぐらいで試して様子を見ます。疲れていないようでしたら、次回から時間を延ばしてゆきます。そして、可能であれば病状に応じて、医師やセラピストの指導やアドバイスを受けるのがよいです。

レイキでヒビキがわかるようになると、病気というのは急に突然なるものではなく、いろいろな無理が重なって、ある程度の期間を経てなるものだということが実感できます。つまり、病気になってしまうというのは、かなり大変なこと、とんでもないことだといえます。

本格的に病気になってしまった場合は、少しの間レイキをしても完治はしません。一カ所の患部を1時間レイキしても、状態は良くなりますが、それで治るわけではなく、それを連日行ってゆく必要があります。

さらに、ガンのような病気になってしまうと、自己治癒力が及ばないケースも多く出てきます。病気になる前に発見して、レイキで自己治癒力を活性化してあげることが大事ですが、病気になってしまったら、医学的に治療方法があれば、それに従いましょう。その場合も、レイキを補助として併用してゆくことは可能です。

ただ一つ注意があります。医療従事者ではない者が、病気を診断したり、治す行為を行うと、医師法などの違反となります。友人やたとえ家族でも、病気の場合に「治す」「治る」と伝えて、レイキを行うと違法になりますので、注意してください。

病後に関してですが、医師の治療を受けて「治りましたよ」と宣言されても、ヒビキを調べると、患部だった所にまだヒビキがあるのが普通です。

医師は症状がなくなり、検査をして数値が基準値に入れば、基本的にOKと考えます。しかし、実際の体はまだ完全に健康状態に戻っていないのが普通です。

このような時に、レイキをしておけば、完全な回復が早まったり、その後の再発防止にも役立ちます。

このように考えてゆくと、医療とレイキのような代替療法は相補的といえます。

お互いに対象とする段階が違い、役目も違うといえます。現在の日本は、病気と非病気という、あまりにも単純化しすぎた考えの上に制度ができていますし、一般の人の行動もこれに基づいていています。

つまり、病気になる前にちゃんとしたケアをするという視点が乏しいですし、社会制度もそういった面が欠落しています。この大切な部分の役割を、レイキが少しでも負ってゆけると素晴らしい、と私は思っています。

第6章　レイキで問題箇所が見つかる

レイキは病気になる前に
不調箇所を見つけることができます。
不調箇所から
熱感やピリピリ、ジリジリなどの
信号が送られてきます。

不調箇所が信号を出す

レイキは単に気を送るだけではなく、体の悪いところを見つけることができます。

実は、人間の身体というのは、悪い部分があると、悪いという信号をちゃんと出しているのです。この信号は病気の時はもちろんですが、病気になるずっと前の、少し疲れているとき、少し調子が悪いとき、あるいはまだ症状には現われていない段階から出ているのです。そのような初期的な段階で、信号を見つけてレイキをすれば、病気にならずに容易に不調が解消してしまうのです。

これは予防として非常に有用で、これができるとできないでは、レイキのありがたみに天と地ほどの違いが出てきます。

自分の力で、自身や家族の不調箇所が発見でき、病気になる前に調子を戻すことができる、病気を未然に防ぐ、これはまさに家庭内療法の究極の形ではないでしょうか。

伝統霊気では、この「悪いよー」と信号を出している部分を「病腺」と呼んでいました。

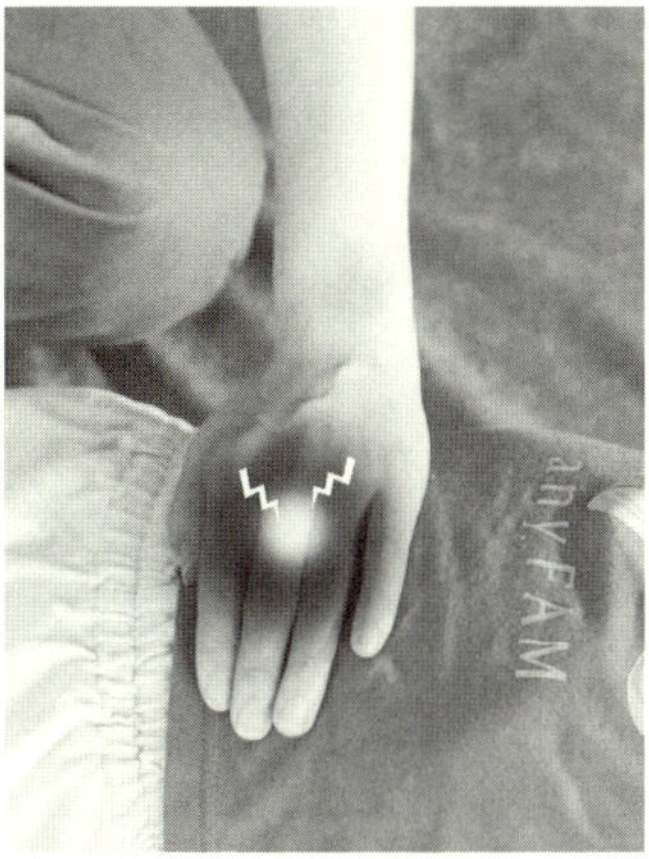

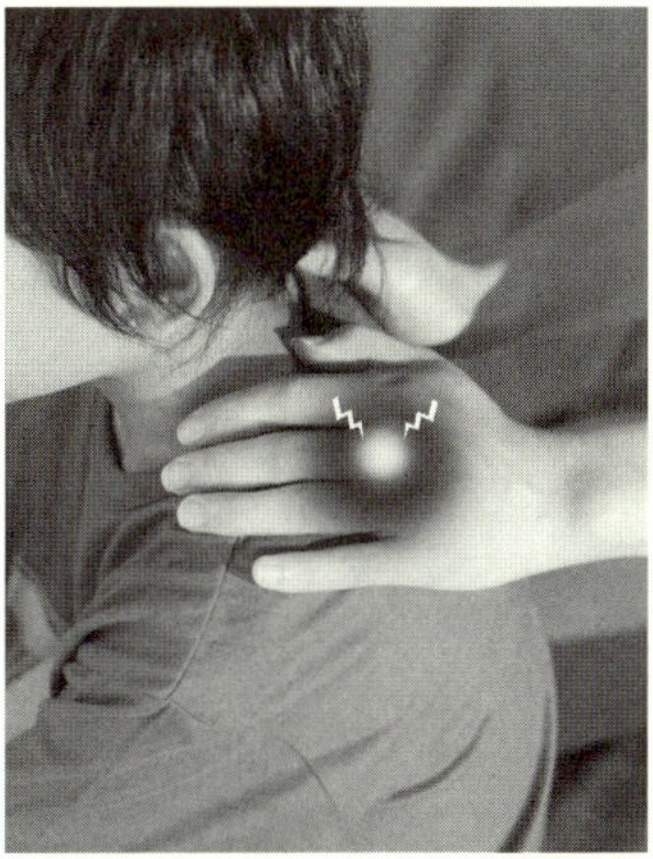

レイキを送ると、病腺からの信号が、よりハッキリと出てきます。そしてその部分に手を当てていると、ピリピリと感じたり、熱く感じたりします。こういった手に感じる感覚を「ヒビキ」と呼んでいます。手に響くという意味です。

伝統霊気では病腺という言葉を多用していましたが、今日では診断類似行為と誤解を受ける可能性がありますので、本書ではヒビキという表現を使ってゆきます。レイキを送りながら、悪い部分からの信号をヒビキとして手で検知するのが、このテクニックです。ヒビキの種類や強さによって、どの程度の不調なのかも判断することができます。

ヒビキは微妙な感覚です。私たちが日常、手に感じている感覚を100とすると、このヒビキの感覚というのは1〜5ぐらいの小さいものだからです。普段、私たちはそのような小さい感覚を、何の役にも立たないとして無視してしまっています。

現在、世界中で実践されている西洋レイキでは、このヒビキを検知するテクニックが伝承されませんでした。伝統霊気を実践している人や、一部の進んだ西洋レイキの人たちが実践しているだけです。しかし、ヒビキが感じとれる人から直接指導してもらえば、それほど難しいことではありません。

私のレイキスクールでは、レイキを初めて実践する人にも、きちんとヒビキの練習をしてもらっていますが、全く初めてでも、初日で大体8〜9割の人が熱感を感知でき、4〜5割の人がピリピリ感や他の感覚を感知できるようになります。

ヒビキを感知できると、的確で効果的なセラピーが行え、病気の予防としても大いに役立ちます。また、ヒビキの変化を追うことで、状態が良くなっているのかどうかもわかります（体験談P177）。レイキを使う人は是非とも習得されるのをお勧めします。

この感覚的なテクニックを文字でお伝えするのは限界がありますが、以下をお読みになり、各自で練習してもらったり、有用性を知ってもらうだけでも、役に立つと思います。

ヒビキには色々な種類がある

ヒビキは、不調箇所がレイキを受け取ったとき「ここが悪いんだよ、もっとレイキしてね」と教えてくれる、体のメッセージのようなものです。その箇所がレイキを受けることで、そういったメッセージを発します。

これにはいろいろな種類がありますので、説明してゆきましょう。

熱感

ヒビキとしてもっとも感じやすいのは熱感で、これは一種の治癒反応としておこります。つまり、不調箇所がレイキを受け取ると、良くしようとして、その部分の細胞や組織が活動を始め、温度が上昇するのです。

これは計器でも測定できる客観的な生理反応です。たとえば、肩こりにレイキをすると、その凝っている筋肉が熱くなってきます。肝臓が疲れていれば、レイキをすると肝臓全体が熱を帯びてきます。頭部でも、精神的な疲労やストレスがあれば、額や後頭部などが熱くなってきます。そういう部分を見つけたら、そこを重点的にレイキすれば良いのです。

この熱感はレイキの初心者でもわかりやすいヒビキです。熱感は、そこが不調であるには違いないのですが、治癒反応が開始されたわけですから、良くなってゆく始まりです。

熱感は、レイキをすると即座に温度が上昇する場合もあれば、時間をかけてゆっくり上昇してゆく場合もあります。

即座に熱を帯びてくるのは、問題の根が浅いことが多く、必要なレイキの時間も長くないでしょう。

逆に、ゆっくりとしか反応が起こらない場合は、原因が単純でなかったり、本人が無理に押さえ込んでいたり、古くから抱えている問題だったりします。

また、一般的に骨格系の問題は、熱感が出てくるまで少し時間がかかります。表層の筋肉の熱感は早めに、内部の内臓の熱感は緩やかに現われてくる傾向があります。

熱感がある場合は、少なくとも熱がピークを越えて、落ち始めるまでレイキをしてあげるのがよいです。完全に熱感がなくなるまでレイキをすると、長時間に及ぶことがありますが、熱感が落ち始めたら、あとは自力でその治癒反応を維持してゆける場合が多いですから、それで大体良しとします。

熱線

熱感と似ていますが、手をかざすだけで、その瞬間にわずかな熱を感じる場合もあります。

これは手を触れても、温度的には高くないので、熱感とは違い、治癒反応ではないようです。あえて表現するなら、その箇所から放射されている信号を手で受けたときに、熱線のように感じるということでしょう。

この熱線のあるところは、最初は温度的には熱くないですが、レイキをしていると通常の熱感が出てきます。

ピリピリ感

次に、しばしば感じられるヒビキはピリピリ感です。ピリピリ感と一口に言っても実際にはいろいろです。ピリピリ、ヒリヒリ、ザラザラ、チクチク、ジンジン、あるいは手や足が痺れた時のような感覚の場合もあります。モゾモゾと局所的な動きのように感じる場合もあります。感じ方や表現は、個人個人によって差があると思います。

ピリピリ感のある箇所は、単なる熱感だけよりも良くありません。強いピリピリ感は病気になる一歩手前の場合もあります。

例えば、肝臓の場合では、かなり熱くなっても熱感だけであれば、血液検査をしても「正常値」と判断されることが多いでしょう。これは単に肝臓が疲れているケースです。少しピリピリ感を感じる場合は、肝機能の数値が正常値からずれ始めます。かなりのピリピリ感があると、肝機能の数値は、正常値ギリギリだったり、正常値から少し外れてしまっている、というのが著者のこれまでの経験です。

ピリピリ感がある箇所は、それがなくなるまでレイキをしてあげるのが理想です。軽度の場合は、十秒～数十秒でとれる場合もありますが、重い状態の場合は1時間、2時間に及ぶときもあります。

さらに、ガンなどのケースでは、長時間レイキしてもピリピリ感がずっと残るというのが著者の経験です。

痛み

手を当てていると、自分の手に痛みを感じる場合があります。これは、状態としてはピリピリ感よりもさらに良くありません。

痛みの程度はいろいろあり、ほんのわずか痛いと感じるときもあれば、希に手首やヒジまで痛みが伝わってくる場合もあります。この痛みは、「もらってしまう」というのとは全く無関係で、手を離せば止まりますので、何ら心配はいりません。

ヒビキの痛みは、通常の肉体的な要因の場合には、レイキをしていると30秒ぐらいで消えていってしまうことが多いです。送り手としては不快ですが、少し我慢していればなくなってゆきます。それだけ、状態が改善したということです。

ただ、希ですが、私のクライアントで、頭部にレイキをしていて、数十分ほど痛みのヒビキが続いたケースがありました。これは、原因が精神的なものにあったからだと思われます。

他に、受ける人がケガなどで痛がっているときにも、自分の手に痛みのヒビキが来る場合もあります。ヒビキというものを理解していれば、このようなときでも何も不安が起こりません。

冷たさ

手を当てると、体の他の部分よりも冷たく感じる場合があります。

これは一般的には、その部分の血流が悪くなっているケースで、たとえば極端に凝っている肩や、冷え性の腹部などに見られます。古い傷も冷たく感じる場合があります。このような部分は5～10分レイキしてあげると、血流が改善して、逆に熱感を帯びてくることが多いです。

その他

ヒビキは他に、自分の手に相手の脈動のようなものを感じる、何か重さのようなものを感じる、吸い付けられる感じがする、イヤな感じがする、他の箇所と何か違う、などいろいろな感覚があり、その表現も人によって違います。ですから、ここで紹介したヒビキと違ったものを感じても、それは自分なりのヒビキを感じていると思って良いでしょう。そういった自分独自の感覚は大事して、セラピーに生かしてゆけばいいのです。

ヒビキを感知するコツ

適切な指導

適切な指導者に教えてもらうと近道です。実地で手を取って「ここには熱感があるよ」「この部分にピリピリ感があるよ」などと、目の前でヒビキのあるその場所と具体的な感覚を教えてもらえると、わかりやすいのです。

最初から自分で探そうとして難しくても、どの場所にどのようなヒビキがあるか指摘してもらうと、「あー、なるほど、言われてみれば、確かにそのような気がする」と感じがつかめてきます。初心者の最初の感覚としては「そんな気がする」程度かもしれませんが、「こういうものなのか」と認識ができてくれば、習得は早いものです。逆に、本を読んだだけでは、なにか荒唐無稽の話をされているようで、わかりにくいと思います。

私自身が最初に西洋レイキを学んだときは、文字の情報としてはテキストに載っていましたが、ヒビキを感じる練習はありませんでした。実際に、ヒビキがしっかりとわかるようになったのは、いろいろなクライアントの施術をして1~2年経ってからのことです。しかし逆に、私のスクールでは実地でヒビキの練習を行うので、多くの割合の人が初回からヒビキの感覚をつかめます。

最初はわかりにくい、というのは確かにそうですが、適切な指導を受ければ、最初からでもわかるようになる人は多いのです。

受け手の状態

受け手が健康であれば、当然ヒビキは弱くなり、初心者ではわかりづらいでしょう。ヒビキの練習としては、自覚症状が強く出ている人で試させてもらうのがわかりやすいです。そして、一人の人で試してみて、うまく感じられなくても、あきらめずにいろいろな人で試してみるのがポイントです。

多くの人でヒビキが出やすいのは、頭部、肩、肩甲骨回りの筋肉、腰、肝臓などです。最初はこれらを重点的にあたってみると、わかりやすいかもしれません。

感度の良いほうの手を使う

ヒビキを感知する時に大事なのは、感度の良いほうの手を知っておくことです。多くの人は、左右の手の感度にかなりの差があります。

初心者の場合は、感度の低い方の手でいくらヒビキを探っても、まったくわからないかもしれません。自分の左右の手で、どちらが敏感かを把握しておくのがポイントになります。

大体6～7割の人は、利き手と逆の手の方が敏感です。左右どちらの手の感度が良いかは、第7章の練習法「手の感度を上げる練習」（P197）で示した方法で確認してください。

手を活性化させておく

ヒビキの練習をするときは、手が活性化されて、レイキが十分に出ている状態にしておくのがポイントです。手が活性化されていると、手自体がヒビキを感じやすくなりますし、レイキが多く出ていると、その箇所からの信号も強く発せられます。これは、第7章で紹介する「発霊法」（P194）を行って下さい。特に初心者は必ず発霊法を事前に実行して、手を活性化することが重要です。

追い求めない

ヒビキを探るときは、探そうとする身体の部分に、感度の良い方の手を当て、意識を手の感覚に集中します。自分の手に何か感じられるか、じっと待ってみましょう。

このとき「どうだ？　どこだ？」とあまり必死に追い求めないように。落ち着いて待つ、向こうから来るのを待つ、という姿勢でやってみてください。

手を当てるときは、ポンと手を置くのではなく、１cm位の距離になったら、ジンワリとゆっくり、優しく接してゆきます。１cm位の距離でも、気は十分に到達していますし、熱線、ピリピリ感などのヒビキは、この段階で感じられる場合もあります。

ヒビキは、手をかざした瞬間に感じる場合もあれば、手を当ててしばらくして出てくる場合もあります。骨格系、仙骨、腱などは、反応が起こるのに時間がかかるケースもあります。頭部も、しばらく手を当てていると、反応がゆっくりと出てくるときがあります。反応を追い求めようとせずに、穏やかにゆっくりと待ってあげましょう。

手を移動するときは、決してズリズリと接触させたまま移動してはなりません。そのようにすると、受け手はまさぐられているような感覚がして、不快になります。初心者にありがちな不快な動作ですので、注意してください。手を移動させるときは、一旦手の圧をゆっくりと解除して、それから僅かに浮かせて移動します。大きく離したり、ポンと離したりしてはなりません。

ヒビキの確認法

手に何らかの感覚が来たときは、しばらくそこに留まります。ヒビキは、日常の感覚の大きさと比べると、とても小さく微妙なものです。「気のせいかな……」程度の、曖昧で微弱な感覚だと思います。

そして、もしも何か感じたら、最初は、手の広さの半分ぐらいだけ手を移動してみます。著者はこれを「半手移動法」と呼んでいます。

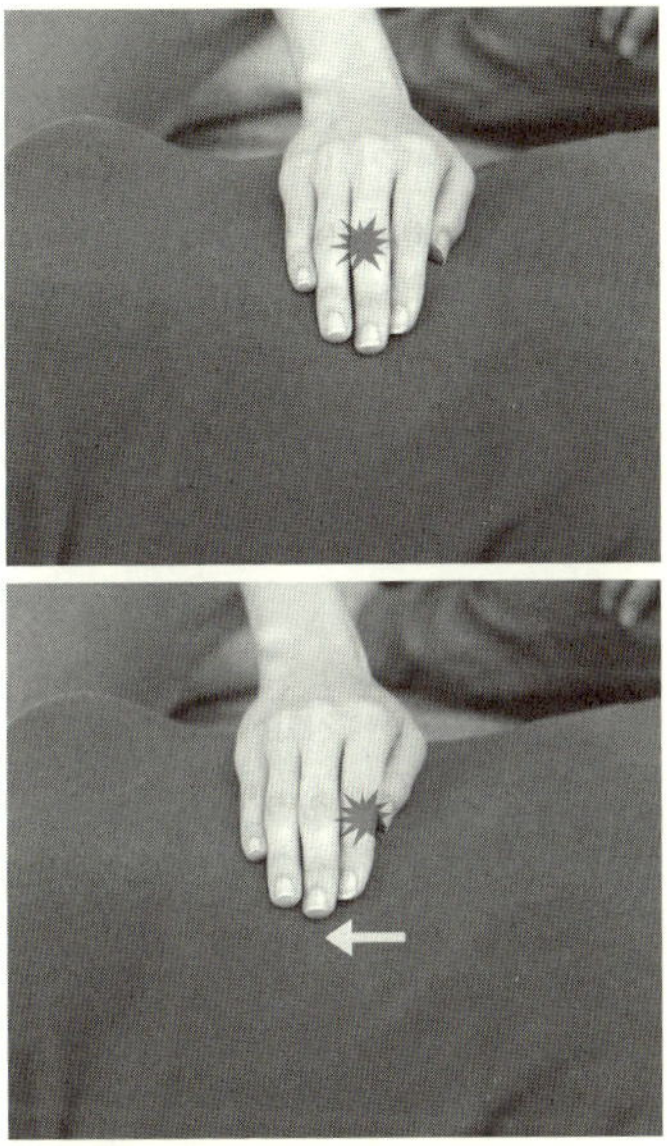

半手移動法

手を半分移動したときに、それまで感じていたヒビキ、あるいはヒビキのようなものも、それに従って移動して感じられれば、それは客観的に相手のその箇所から来ている信号ということになります。たとえ微弱であっても、

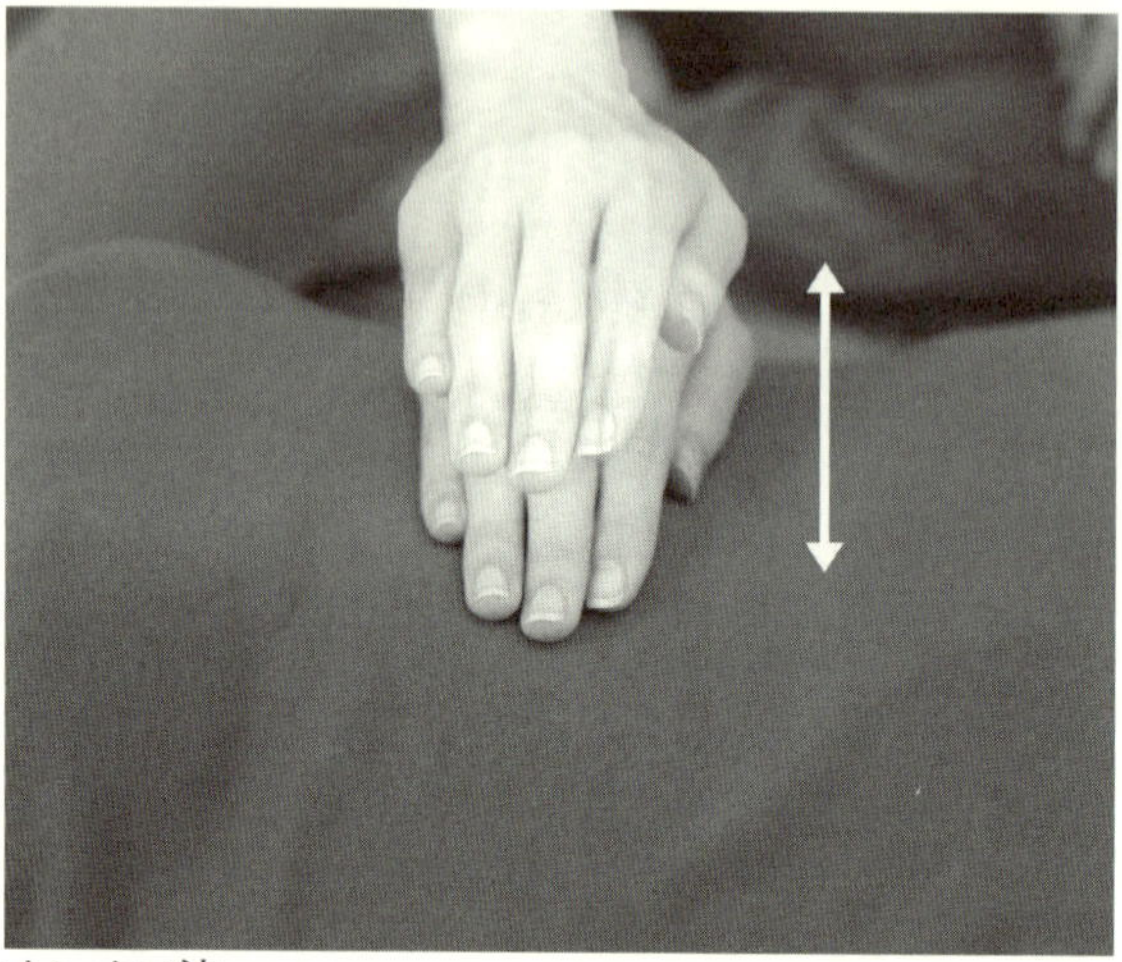

オンオフ法

気のせいのようでも、これで確実なものとして確認できます。

　また、ピリピリ、ジンジンなどの感覚の場合は、手をそのままゆっくり10㎝ぐらい離して、またゆっくりと戻して当ててみます。著者はこれを「オンオフ法」と呼んでいます。これを繰り返すと、その感覚が手が数㎜に近づいた時や、手を当てたときだけ感じられ、相手から来ていることが確認できます。

ヒビキの時間的変化

ヒビキが検知できたら、痛み、ピリピリ感、強い熱感など、もっとも気になる部分を優先してレイキをしてゆきます。痛みは比較的消えやすく、ピリピリ感もレイキをしてゆくと、たいていの場合は取れてゆくでしょう。

それに必要な時間は、実際にレイキしてみないとわかりません。ある箇所にレイキをすると、ヒビキの強さや質は刻々と変化してゆきます。これは、レイキを受けて治癒反応が起きて、その箇所の状態が変化するためです。単純にいえば、ヒビキのある所にレイキをして、ヒビキがなくなれば、それは改善したということになります。

ヒビキを感じながらレイキをしていれば、相手の状態の変化がわかってゆきます。ヒビキの時間的変化に関しては、文献（6）にも説明がありますので、以下とあわせて参考にしてみてください。

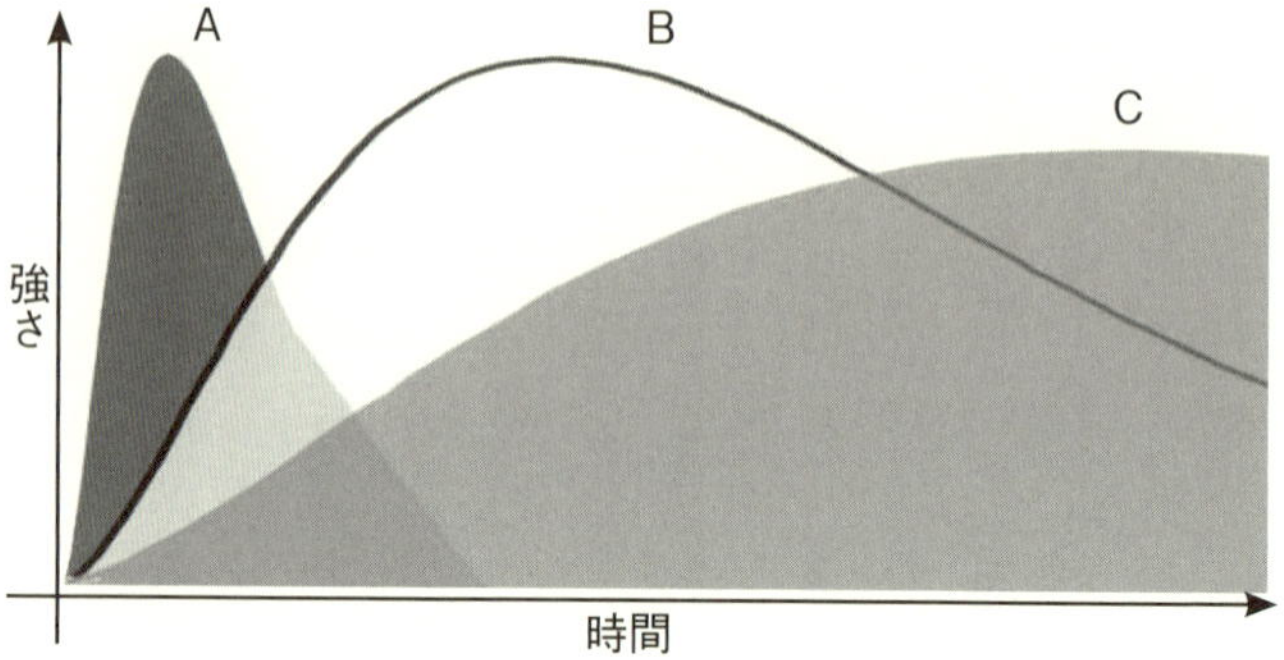

序盤

まずは、熱感の出方について説明します。熱感は一種の治癒反応であるという話をしましたが、手を当ててから、熱感が出てくるタイミングや、熱感の立ち上がりのスピードは、実に様々です。手を当てるとパっと熱感が出てきて、速いスピードで上昇し、まもなくピークに達し、そして熱感が落ちてゆくというのは、もっとも素直な反応です（上図のA）。逆に、手を当ててから、熱感が出てくるまで時間がかかったり、少し熱感が出ても、かなり時間をかけて熱くなってゆくケースもあります（上図のC）。例外もありますが、私のこれまでの体験では、反応が早いのは、一時的な肉体的疲れの場合が多く、反応が遅いのは受け手の人が意識的・無意識的に問題を押さえ込んでいたり、慢性的な症状の場合が考えられます。

頭部の熱感の場合は、頭の場所によって熱感の立ち上がりが違うことがあり、レイキをしていると、熱感の分布が刻々と変化してゆくことがあります。また、ピークに達してから熱感が緩んでゆくときのスピードもいろいろです。骨格系で根の深いものの場合は、ゆっくりとピークに達して、落ちるときも非常にゆっくりという場合もあります。

ピリピリ感は、手を当てた瞬間に感じる場合が多いですが、それが一時的に収まっても、またレイキをしている途中で間欠的に出てくる場合があります。ただその時は、最初のピリピリよりは弱いものが出現すると思います。

痛みは、肉体的な要因であれば、簡単に消えることが多いです。30秒ぐらいレイキをしてあげれば、消えてゆく場合がほとんどです。また、痛みもレイキをしている途中で間欠的に出てくる場合もあります。

中盤

この段階では、すでに熱感が十分に出ていて、ピークに近くなっています。ピリピリや痛みはなくなっているか、出ても間欠的になっていると思います。

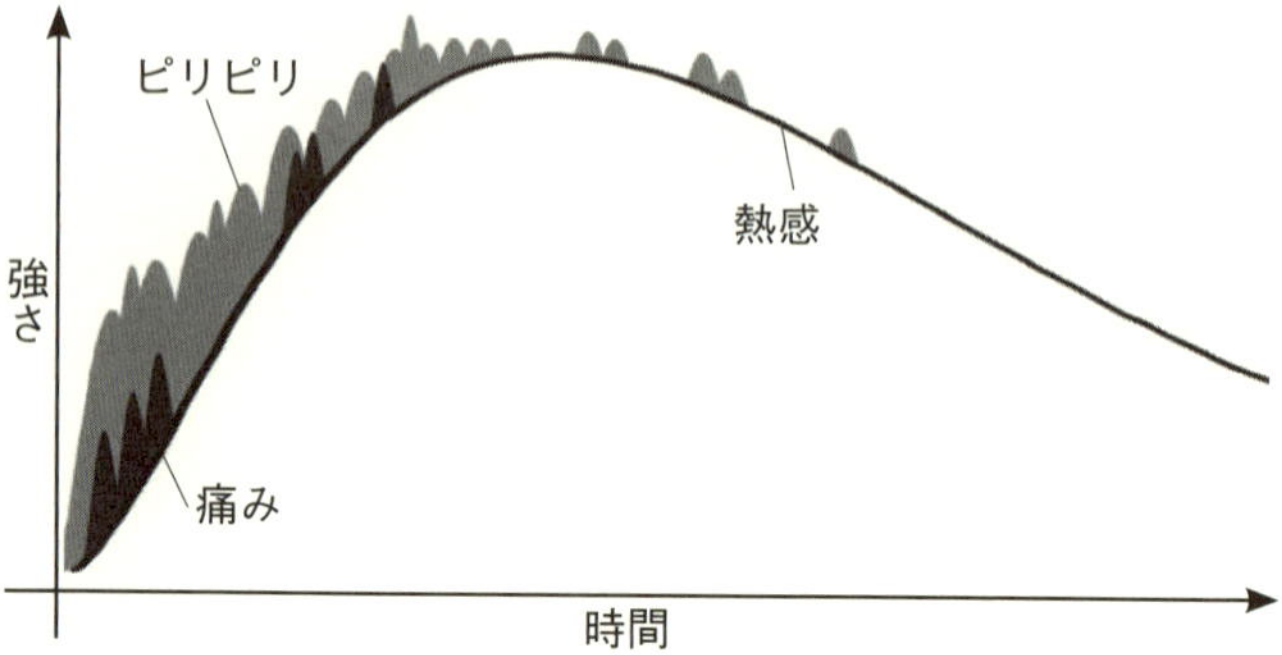

例外的なケースとして、ガンの患部の場合は、レイキをしても初めから終わりまで、ずっとピリピリしていることが多いです。また、精神的なものから来る頭部のヒビキの痛みは、すぐには収まらず、長い時間かかる場合があります。

終盤

ピリピリ感や痛みはほぼなくなっていて、熱感も落ちる段階に入っています。

熱感は治癒反応なので、あとは自力で進んでゆける場合が多く、完璧に熱感がなくなるまでレイキしなくてもいいと思います。この段階まで来れば、終わるタイミングを見計らって良いでしょう。

こういった変化をまとめて上図にしました。

そして文献（６）のＰ１２１で述べられているように、全体のヒビキが収まっても、また小さい山が何度も訪れる場合もあります。

一本調子で良くなるときと、そうでないときがあります。

これは、問題となっている主な症状が改善しても、また別の側面での治癒反応が始まるためです。改善というのは、タマネギの皮をはがすように起こるともいわれています。この序盤→中盤→終盤の変化が、いったいどのぐらいの時間のスケールで起こるかは、ケースバイケースです。

非常に軽い一時的な問題でしたら、これらが数分～5分のスケールで起こる場合もありますが、問題が大きかったり、長年かかって作られた問題だったり、精神面の要因があったりすると、1時間、2時間とかかる場合も決して珍しくはありません。

レイキのセラピーは、あらかじめ何分で終わるとは決められないものなのです。1時間を超えるようでしたら、送る人も受ける人も、途中で休みを入れて、水分補給やトイレに行ったり、あるいはその日は終わりにして、翌日に続いて行うほうが良いでしょう。

日数がかかる場合でも、ヒビキは毎日変化し、少しずつでも良くなって行っているのがわかりますから、焦燥感はありません。時間がかかっても状態の変化がきちんと把握できるのが、この方法の素晴らしいところでもあります。

ヒビキが現れやすい箇所

ヒビキが現れやすい箇所は個人差がありますが、一般的な傾向も見られますので、以下に紹介してゆきます。経験が浅く、自分では完全にヒビキが把握しにくいとき、あるいは限られた時間でヒビキを探す場合などに参考にしてください。

頭部のヒビキ

頭部はヒビキが出やすい場所で、普通の人は必ずヒビキがあると思います。しかも、その状態はレイキをすることによって、数分のスケールで刻々と変化してゆくことがあります。いつも頭全体に注意を払いながら、状態を観察しつつ、レイキをしていってください。

頭部のヒビキは額、額の上、こめかみ、耳の後ろ、後頭部の上部、後頭部の下部などに頻繁に感じられます。

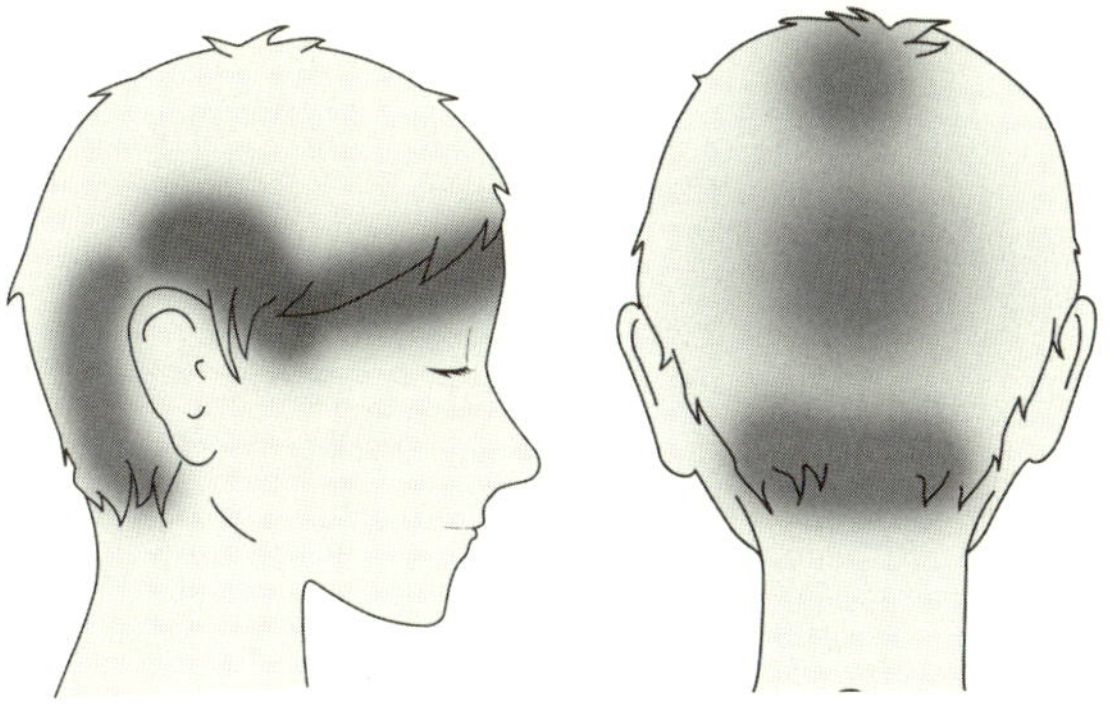

私のこれまでの経験では、精神的な問題は、必ず頭部にヒビキとして現れます。精神的な問題は、その人の外見や簡単なカウンセリングでは完全に把握しきれるものではないですから、しっかりとヒビキを探ってあげましょう。

風邪の場合は、頭頂の数cmうしろにヒビキが出ます。偏頭痛はその痛い箇所にヒビキが出ます。目、耳、鼻などの肉体的な問題は、その部位にヒビキが出ます。最近よく見られるのは、パソコンや携帯を使うことで首が凝るケースです。首のコリは、後頭部の頭蓋骨の縁から始まって、耳の後ろの筋肉、首の筋肉などにも見られます。また、コリが首の付けに集中している場合もあります。

背中上部のヒビキ

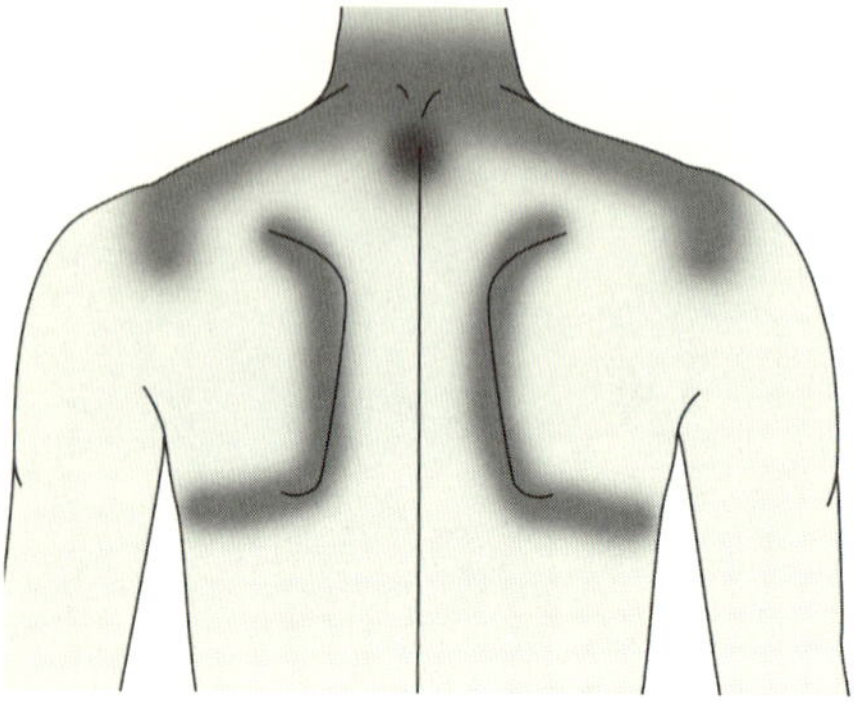

この周辺にコリのある人はとても多いですから、ヒビキの宝庫ともいえます。

ヒビキの場所は個人差がありますが、首の付け根、両肩の上面に集中している場合、肩甲骨の周辺の筋肉、肩甲骨全体などに見られます。

首の付け根の中央に、堅く感じる骨張った部分がありますが、これは7番目の頸椎で、ツボでもあります。ここは背骨や首に問題があるとき、また風邪や疲労、睡眠不足のときにヒビキを感じやすいです。

また、重い荷物を扱う人や育児をする人は、肩関節に局所的にヒビキを感じるときがあります。

背中中部のヒビキ

背骨の両隣を、背中から腰へ上下に走行している脊柱起立筋が凝り、ヒビキを感じるときがあり、前屈みの仕事をする人、猫背気味の人に多く見られます。

また、この近辺は内臓関係のヒビキが多く、胃の側面と裏、膵臓、脾臓、肝臓、腎臓などは特に注意が必要です。胃はちょっと調子が悪いぐらいから熱感が出ます。もしも胃炎や胃潰瘍になっていれば、強くピリピリと感じられるでしょう。

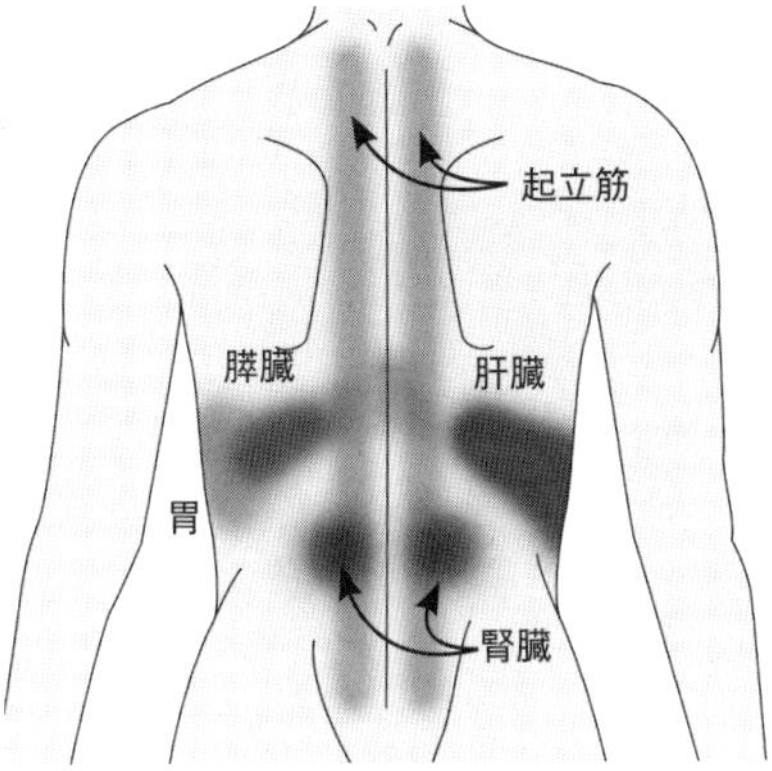

肝臓と腎臓は、ちょっとした疲れがあるだけで熱感が発生しますし、もしピリピリ感があれば、軽い病気になる手前の状態です。お酒の飲み過ぎでなくても、疲れれば肝臓や腎臓に影響が出てきます。肝臓、腎臓、膵臓、脾臓は、悪くなっても自覚症状が出にくい臓器で、少しの不調では、医学的な検査をしても正常と判断されるケースが大部分です。レイキをするときは、こういった臓器は丁寧にヒビキをチェックしてあげることが大事です。これは大人だけではなく、子供でも全く同じです。

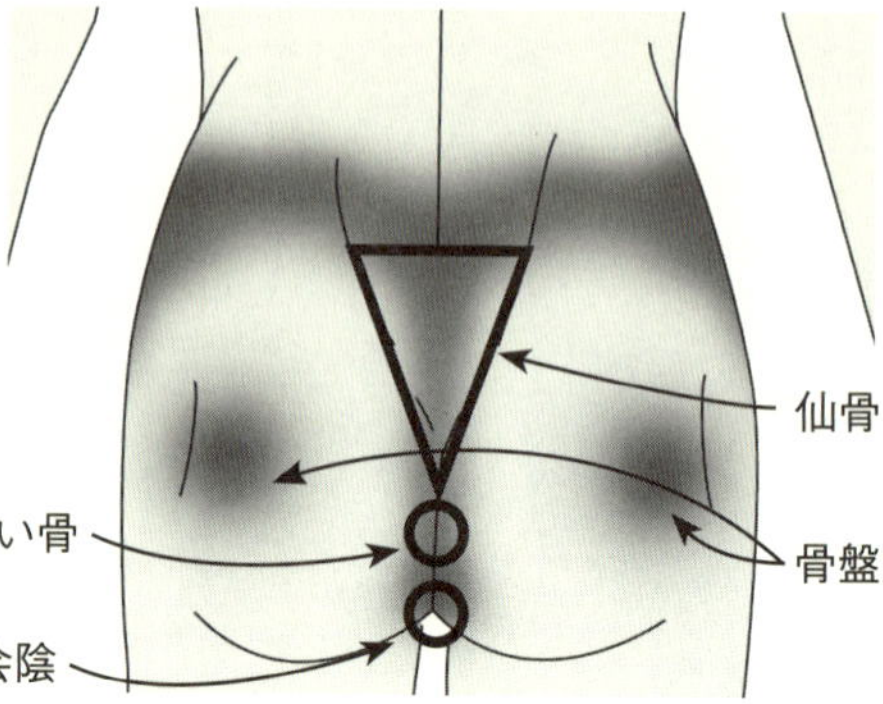

腰部のヒビキ

日本人の場合、腰は多かれ少なかれヒビキが現れる場所です。筋肉的な腰の問題でしたら、多くの人はベルトの位置にヒビキが出やすいです。このときの左右の位置は、背骨近くのときもありますし、脇腹近くのときもあります。また、腰椎に問題があれば、腰の真ん中にヒビキが出ます。

仙骨（骨盤中央の平らな部分）はとても大事な箇所です。腰が悪いときは、仙骨にヒビキが出ることが多く、また婦人系の問題でも仙骨にヒビキが出ます。仙骨は熱感の出るスピードがゆっくりですから、しばらくの間手を当ててみて、熱感がじんわりと出てこないかどうか、待ってあげましょう。仙骨は、ムズムズと感じる動きのようなヒビキがたまに出る箇所でもあります。

座骨神経痛は、臀部の骨盤穴（臀部の押すとへこむ場所）の部分にヒビキが出るのが典型的です。また、腰やヒザの問題があると、ヒップの真横にヒビキが出たりするときもありますから、そちらもチェックしてあげましょう。

仙骨よりもさらに下がって、尾てい骨や会陰にヒビキが出る場合もあります。尾てい骨は腰の問題の延長のようです。会陰はエネルギー的に背骨の出口になっています。疲れているときや風邪のときに会陰にヒビキが出る場合があります。

胸部・腹部のヒビキ

胸部は女性の場合は、胸元から脇にかけてヒビキが感じられるときがあります。リンパ液などの流れが滞るためのようです。また、タバコを吸う人は気管支にヒビキが現れることが多いです。

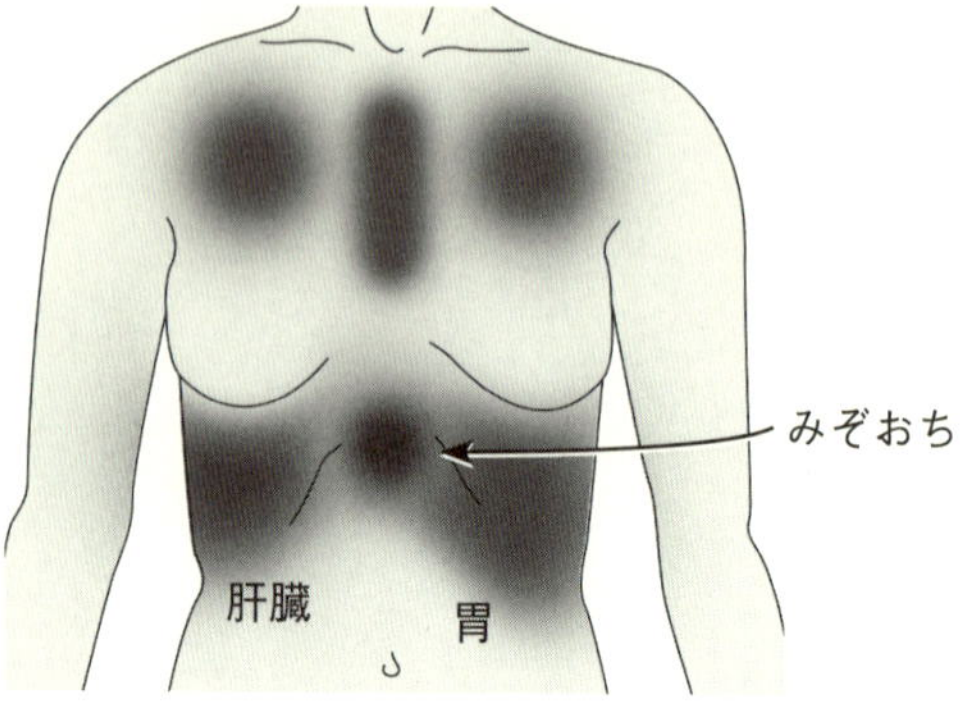

腹部でよく見られるヒビキは、左側の胃の部分、ミゾオチ付近（十二指腸付近）、右側の肝臓です。胃のヒビキは全体から来るときと、局所的に悪い部分から来るときとあります。

胃下垂の人の胃は、腰付近まで下垂している場合があります。胃も肝臓も、前と後ろから前後で挟んでレイキをすると、レイキが深部まで到達して効果が出やすくなります。

おへそはお腹の中ではエネルギーポイントになっています。つまり、内臓、特に消化器系の具合が悪いと、お

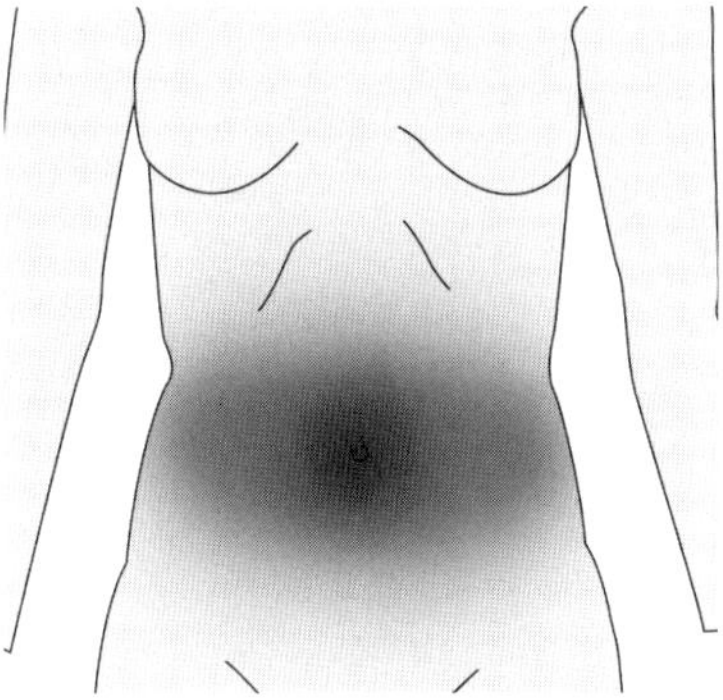

へそにヒビキとして出やすいのです。おへそは、これらの臓器とエネルギー的につながりがあるので、おへそにレイキをすると、内臓へパァーと広がってゆきます。

下腹部のヒビキ

下腹部は女性にとって特に重要です。生理不順、月経困難、月経前緊張、子宮筋腫、卵巣嚢腫などの子宮内膜症、子宮ガン、カンジタなどの感染症、膀胱炎、不妊などの婦人系の問題が増加しており、非常に多くの女性を悩ませています。女性にレイキする機会のあるときには、下腹部は必ずチェックするのがお勧めです。

臓器の位置としては、恥骨の真裏が膀胱になり、その膀胱の上に乗っかるように子宮が位置しています。卵巣は子宮の両側にあります。ヒビキが見られるのは、卵巣の位置、子宮の位置、下腹部全体などがあります。

婦人系の問題は、背面の仙骨にヒビキが出ることも良くあります。婦人系のレイキをするときも、前側は下腹部、後側は仙骨に手を当てて、前後に挟んでレイキをするのがベストです。(近親者でない異性の下腹部をレイキするときは、タオルを1㎝位の厚みで置いて、その上

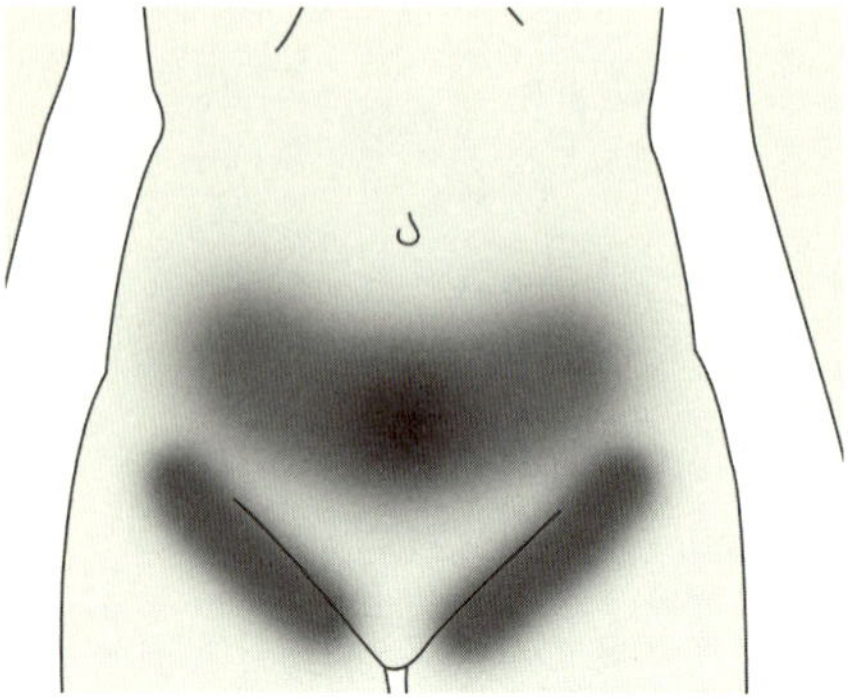

からレイキすると、受け手の抵抗感が軽減できます。）

男性は恥骨よりも少し上方にヒビキの出ることがあります。前立腺から来ている可能性があります。

ソケイ部（腿の付け根）は男女共通してヒビキの出る場所です。リンパ液や静脈の流れが悪くなって起こるようです。冷え性、下肢のむくみ、下肢のセルライトなどがある人、脚の疲れのひどい人などは、この部分にヒビキが現れます。

足・脚のヒビキ

足は、日常かなり酷使されている場合が多く、自覚がなくても、案外と疲れているものです。太腿は運動やスポーツで疲れるとヒビキが出ます。内腿はリンパの流れが滞っているときにヒビキが出ます。

ヒザは多くの成人にヒビキが見られ、壮年になると多かれ少なかれ必ずヒビキがあります。軽い熱感だけでしたら、自覚症状は出ていないケースが多いですが、ピリピリ感やジリジリ感があるときは、何らかの自覚症状があると思います。

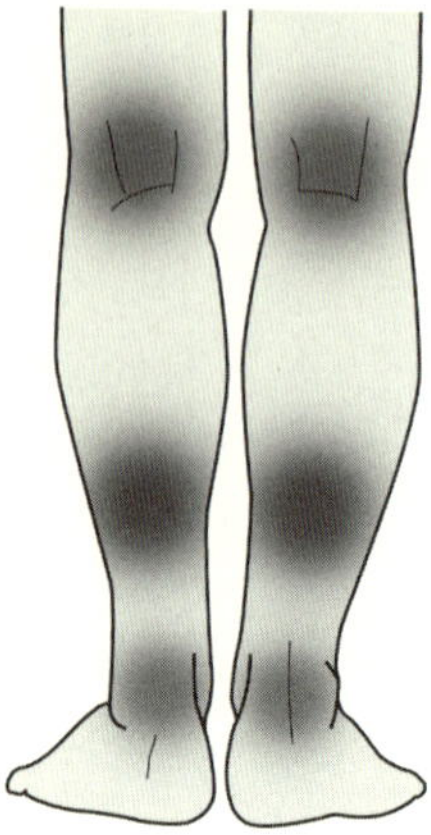

ヒザは、お皿とヒザ裏を挟んでレイキします。

フクラハギとアキレス腱の中間の位置はヒビキが出やすく、これは成人のほぼ全員に見られます。フクラハギの一番太い部分は運動をしている人でないと通常ヒビキは出ません。

足首は、脚が疲れているとヒビキが感じられ、平均的な大人ではよく見られるパターンです。足裏では、腰から下の不調がヒビキとして感じられる場合があります。

ヒビキで的確な対応を

的確にヒビキが検知できるようになるには、実践と経験を積むしかありませんが、手の感覚に注意していれば、いつかはわかるようになるものです。

この章に書いてある練習法は、良いスタートになりますので試してみてください。一回であきらめずに、継続してゆきましょう。もしも自分で試行錯誤しても、どうしても難しいと感じれば、適切な指導を受けてください。

的確にヒビキが見つけられれば、やみくもに全身にレイキをするよりも、はるかに効果が高くなります。症状の出ていない場合でも、ヒビキでそれを見つけて、レイキをして、未然に防ぐことが出来ます。また、ヒビキの強さを経過観察することで、悪くなっているのか、良くなっているのかなどの変化が把握でき、より適切な対応が可能です。多少の訓練は必要ですが、焦らないで試してゆけば、きっとわかるようになります。著者自身も今のレベルになるまでは数年を要しています。

プロフェッショナルなセラピーやヒーリングの場合は、局所的なヒビキに対応するだけでは十分とはいえません。メンタルな要素、あるいは解剖生理学的に関連する部位などを加味し、総合的にアプローチしてゆくことが必須になります。特に、現代の問題はメンタルな面が多かれ少なかれ関わってきますので、頭部へのレイキは常に必要と考えて良いです。慢性的な問題の場合は、食事、生活習慣、生活環境も考察する必要があります。レイキだけではなく、自身の得意とする他の代替療法を組み合わせてゆくのも良いでしょう。そしてこの時も、ヒビキは大変に参考になるはずです。

プラスα レイキをもっと分かりたい！

ここまで、手の当て方、ヒビキの探し方などを文章で説明してきましたが、レイキはとっても感覚的で直感的なモノです。ですから、ここまで本書を読んでも「なんだか、まだ分かりにくい」「実際どうやってるの？」と思われる方もいらっしゃるでしょう。また、「もっと知りたい！」「分かりたい！」って思われる方もいるかもしれませんね。そんな皆さんのために、DVDをご用意しました。

このDVDでは、詳細な手の当て方から初めて、ヒビキを感知するコツ、ヒビキの確認のしかたなどを、映像と音声で丁寧に解説しています。

実際の日常、ご家庭でのレイキの使い方も、具体的な映像でお見せします。発霊法も実際の実践法が御覧いただけます。きっとレイキの理解を深めるための、お役に立つでしょう。

（DVDの詳細については、巻末を御覧下さい。）

DVD「How to レイキ」より

体験談「父の肺ガン（東京都K・Tさん）」

実家の父は肺ガンを患って入院していました。私は東京で生活しているため、遠隔レイキを習うことも考えたのですが、その時の私は、私が遠隔するよりも他のヒーラーの方にみてもらった方が良いように思いました。資料も集めましたが、父は「主治医の先生にお任せしたから他には行かない」と言いました。

５月の連休に帰省した時、父も病院から外泊許可をもらい家に帰って来ました。今まで父任せにしていた田植に関しても、一つずつ訊かなくてはなりません。なるべく負担のないようにしたつもりでも、やはり体に堪えたのでしょうか、外泊最終日の夜から熱が出ました。

一年半前にレイキを習った時は、ヒビキのようなものを感じたものの、その後はよく分からず、意識して使うことはありませんでした。しかし病気の父を前にしたら、自然に手が肺へと動いていました。

すると、今まで感じたこともない熱さと痛いくらいのビリビリするヒビキを感じました。

肺はゴウゴウとまるで燃えているようでした。当てている手にミシミシと音をたてているような感覚が肩まで上がってきて、痛いを通り越しているので、手を当てているのが恐くなりました。

父はレイキを始めてからウトウトしていました。嫌だと言ったら止めようと思い、様子を見ながら続けました。燃えている感じが止んだのは朝4時でした。レイキをし始めた午後10時頃には38.3度あった熱は、この時には37度に下がりました。

この日、私は東京に戻り、実家の父も病院に戻りましたが、再び熱が上がっていました。その二日後のレイキ練習交流会に参加した時、先生以外初対面なので迷いましたが、参加者の皆さんに父への遠隔レイキをお願いし、その場で送っていただきました。遠隔していただいた昼過ぎより熱が下がり始め、夕方には自力でトイレに行けるようになったと母から聞いた時、皆様に助けていただいたと感謝でいっぱいになりました。結局、放射線治療による肺の火傷が原因でこの肺炎になり、熱が下がらなければ危ない状態だったと診断されました。

レイキの素晴らしさを実感した私は、レベルⅡを受講し、朝夕父に遠隔レイキするようになりました。先日も今度は抗ガン剤の副作用で間質性肺炎になってしまいました。この時は、仕事の時間以外のほとんどを遠隔の時間に充てました。酸素吸入を余儀なくされたものの、回復出来たのは奇跡だそうです。今は、退院して自宅療養をしています。レイキを習って本当に良かったです。

私は毎月父にレイキをしに実家に帰るのですが、母も叔母もレイキを楽しみにしてくれています。その叔母にレイキをした二回目の時、左肺と心臓に痛いくらいのヒビキを感じたので、受診を勧めました。検査の結果、血管の一本が肺の方へ流れているために、不整脈が出るとのことで、カテーテルの手術をすることになりました。比較的簡単な手術だったようで、経過も順調です。これからも自分の周りの人に喜んでもらえるようレイキをしていきたいと思います。

第7章　レイキを強くする練習法

どうやったら自分のレイキが強くなるか？
それは実際に使うことが一番ですが、
そのコツを紹介します。

実力・実感アップのためには、まず実践を

レイキを始めて、多くの人が気になる点は、どうやったら自分のレイキがたくさん出るようになるかだと思います。私も始めた頃は、これがとても気になりました。自分自身に対する良い悪いの評価も含め、自己の中で葛藤が起りやすい部分でもあります。

レイキは語学の習得と似た側面があります。アチューンメントを受けると、とりあえず片言で話せる状態になります。最初は、自信もなく、恥ずかしさもあり、実践はスムーズに行かないかもしれません。しかし、うまくなるためには、実際に使ってゆく他ないのです。使ってゆけば徐々に気が出やすくなり、レイキの量は増えてゆきます。そして、それは才能とは関係がありません。

この章に書いてあることを大切にして実践してゆけば、どんな人でもレイキを習ってから半年もすれば、実力・実感ともに大きくアップするはずです。また、レイキをまだ習っていないときも、この章の練習法を続ければ、徐々にレイキが出るようになると思います。

とにかく使うことが一番

どれぐらい使えばどれぐらい増えるのか、という数値は示せませんが、使ってゆけば確実に出る量は増えます。

使う頻度によって、変化のスピードは違うでしょう。毎日30分以上と、かなりの時間使っていれば、月の単位で自分のレイキがアップしているのが感じられるでしょう。

毎日少し使う程度でしたら、変化を実感するのに半年かかるかもしれません。

気が向いたときに使う程度でしたら、同じレベルを維持するのに留まる場合もあるでしょう。

「そんな程度なの」とがっかりしてはいけません。レイキは死ぬまで使えるものですから、数年の差というのは気にするべきではありません。一年、二年先ではなく、十年、数十年先を見るようにしましょう。焦って使っていっても、そのうち焦燥感で挫折するかもしれません。慌てず、楽しみながら使ってゆけば、自ずと良い結果が出ることでしょう。

私の場合は、最初に習ってから1～2年は大きな発展はなく、同じ状態が続いていた感じです。それはそれで悪いことは何もないのです。継続は力なりです。

大事なのは、レイキをすることをあまり大げさに考えないこと、堅苦しく考えずに形式やルールに捉われないことです。

スタンダードポジション（決められた箇所に決められた順番でレイキをする手法）しか教わらないと、常にスタンダードポジションを使わないとレイキはできない、と勘違いされている人も多数見られます。これはとんでもない誤解です。

また、「乾浴」や「レイキシャワー」などの儀式をしないと、レイキを始めてはいけないと教えるスクールもありますが、これもまったくの間違いです。

レイキは何かに「つながる」作業は必要ありません、あなたはいつもレイキとつながっているのですから。使いたいと思った瞬間に、気軽に手を当てれば、それが一番良いのです。

特に自己ヒーリングは、一日のちょっとした時に、自分の体に手を当てるだけですから、何の苦労も労力もいりません。リラックスしていれば、ある量のレイキが常に出ていますから、テレビを見ながら、会話をしながら、お茶をしながら、電車に乗りながら、歩きながら、眠りに落ちる布団の中などでも、一日の中で無限といってもいいほどの機会があります。

こういった〝ながら〟でも現状維持は十分にできますし、回数を行えば効果もしっかり出てきます。

自分のレイキをしっかりと向上させたいというときは、ある程度落ちついてレイキをする時間を作りましょう。対象は自分でも他人でもいいです。そして時間は、10分以上はやったほうがいいです。これはなぜかと言うと、レイキを始めた当初は十分に全開してレイキが出るまで、ある程度の時間がかかるからです。私は今ではかなり瞬時にレイキが全開するようになりましたが、始めた当初は苦労する時がありました。

テレビを見ている家族や、遊んでいる子供の後ろからレイキをしてもいいですから、じっくりレイキする時間をとりましょう。

「五戒」を努力することも大事

その人から出るレイキの量は、それまでの実践や経験などにもよりますが、その人の精神性も大きく関係しています。

心配ばかりしたり、怒ってばかりだと、レイキの出る量は減ってゆきます。自分の精神性を向上してゆくことも、非常に大切なことです。レイキを使ってゆこうとすることは、自分の精神性を高めてゆくことと表裏一体でもあるのです。

その方向性を教えてくれるのが「五戒」です。

五戒は、臼井先生が臼井霊気療法学会を作ったときに掲げられ、以降霊気を行う人にとって、最重要の努力目標とされてきました。高田先生が海外でレイキを広めたときも、文章やニュア

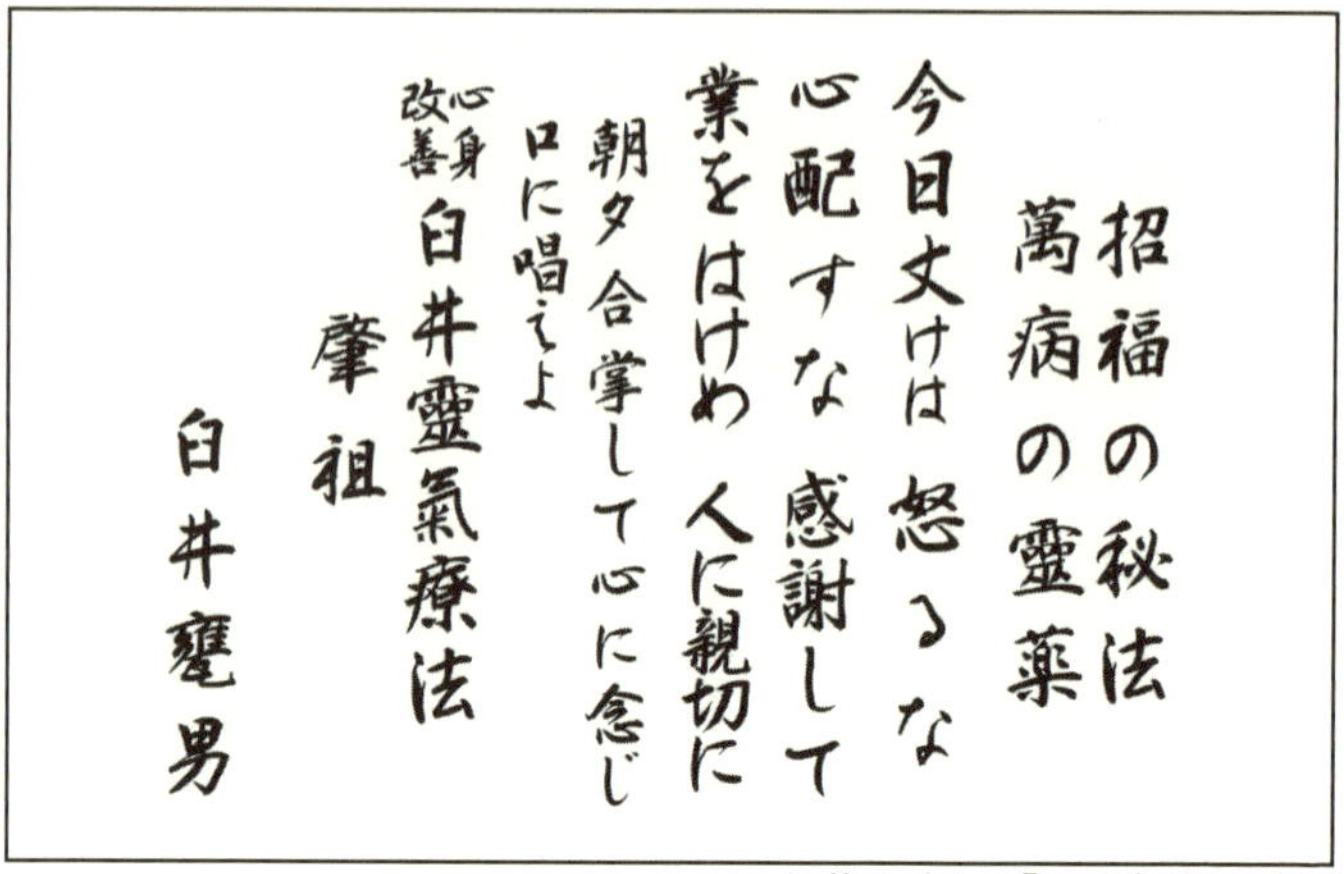
招福の秘法
萬病の靈薬
今日丈けは　怒るな
心配すな　感謝して
業をはげめ　人に親切に
朝夕合掌して心に念じ
口に唱へよ
心身改善　臼井靈氣療法
肇祖
臼井甕男

臼井先生の「五戒」（再現）

ンスは変更されてしまいましたが、それなりに伝わっていました。

五戒といっているのは「**今日だけは　怒るな　心配すな　感謝して　業をはげめ　人に親切に**」の部分です。最初の「今日だけは」は全体にかかります。

これは戒律的なものではありません。今日うまくできなくても、明日になって、また「今日だけは」と思って努力してゆけば良いのです。失敗をすること、うまく行かないことを前提に作られています。

五戒は非常にシンプルな表現ですから、その意味合いは各自の捉え方で問題ないと思います。ここでは、五戒の解説は行いませんが、臼井霊気療法学会の五戒の捉え方は文献（1）に載っています。また他の有名なレイキマスター・師範なども解説をされていますので、参考にしてください［文献（3）（4）（6）］。

五戒の言葉は、古い時代の古風な日本語で表現されていますが、内容的にはスピリチュアルなメッセージを多く含んでいます。この五戒の心がけが、できればできるようになるほど、あなたのレイキは強くなってゆくでしょう。

他人へのレイキは最重要

反応がもらえて実感が出る

レイキは自然体になったときに、自然に自分の手から出ますが、最初のうちは自分の手からレイキが出ているという感覚を捉えにくいと思います。しかし、そのようなときでも、他人にレイキをしてあげれば、たいていの人は「暖かい」「心地よい」と実感してくれます。レイキは送るよりも、受けるほうがわかりやすいことが多くあります。

自分の限られた感覚だけで「どうもわからない」「実感がない」と思っていても、他人にやってあげると過半数以上の人は必ず良い反応を返してくれます。それによって、自分でもちゃんとできているのだという実感が得られます。

もちろん、中にはレイキをしてあげても、ほとんど反応のない人もいます。それは個人差ですから、それでめげてはいけません。その人のことは忘れて、他の人をどんどんレイキしていけば、ちゃんと良い反応をもらえます。

自分の価値がアップする

また、相手に喜んでもらうことで、自分の存在価値を自分自身で感じ取れるようになります。これがどれだけ大切なことかは、実際に体験した人でないと十分には理解できないかも知れません。

自分に対して否定的なイメージを持っている人、自分の存在価値をうまく見いだせない人はたくさんいます。自己肯定というのは人生では難事の一つです。しかし、他人にレイキをして喜ばれるという経験は、大変に良いインパクトになる例を私はたくさん見てきています。

私自身も、何かをしてあげて、人に喜ばれるという体験やうれしさが、レイキをやってゆこう、続けてゆこう、もっと多くの人に教えてゆこうという原動力になっています。とても手軽なレイキを通して、人に喜ばれることがどんなに素晴らしいことか、たくさんの人にその幸せを体感してほしいものです。

自己改善になる

自己改善や精神世界という側面からレイキを始めた人は、他人へのレイキにあまり興味がないケースを見受けますが、これはいろいろな意味で大変に残念なことです。

自己ヒーリングさえすれば、自己改善になるという考えは非常に短絡的な発想です。なぜなら、他人にレイキをすることが、大きく自己改善につながるというのが、レイキの特徴だからです。そう言った意味でも、レイキの実力をアップするためには、自己ヒーリングだけではなく、他人にレイキをすることは大変に重要なのです。

さらに、第1章にも書きましたが、他人にレイキをすることでスキンシップの効果が生まれ、相手との距離が縮まったり、コミュニケーションがスムーズに進んだりと、自分の周りの人間関係にも大いにプラスになり、これも自己改善につながります。

感覚で理解してもらうこと

他人にレイキをするときに、一つ問題になるのは「あやしいと思われないだろうか」という点です。

レイキのように目に見えないものを、言葉で理解してもらうのは大変に難しいことです。しかし、言葉で理解してもらう必要はありません。最初は言葉での説明はまったくなしにするか、最小限にして、感覚的に理解してもらうのが最大のポイントです。

「レイキ」という単語を言う必要もありません。「気を使ったセラピー」「ハンドセラピー」「ハンドヒーリング」「気功のようなもの」と表現すればよいのです。たとえば胃の悪い友達がいるとしましょう。

「このところ、どうも胃の調子が悪くて……。」

「それなら、私、気功のようなものを習ったから、ちょっと試させて！」

と言って、パッと手を当てさせてもらえば、それで大成功なのです。そうやって、実際の感覚として変なものではないと理解してもらえば良いのです。

さらに、もともと信頼関係のある人でしたら「そこが具合良くないんだ……、ちょっといい？」とだけ言って、手を当てることも可能です【M】。過半数の人は、暖かく感じて心地が良いと実感してくれるはずです。

この時のテクニックとして、不調箇所やコリのある所にちょうど手を当てられれば、相手が実感しやすいのです。平均的には、肩甲骨の周辺、肝臓、胃、背骨、腰などが受けていてわかりやすいと思います。

もし、それでも大した反応がなければ、それで終わりにすればよく、話題も変えればいいのです。

【M】異性に手を当てるとき、特に男性から女性へは、セクハラと誤解されないよう注意します。また、子供の事件が増加しているので、見ず知らずの子供には、緊急時に限った方がいいかも知れません。

です。「これはレイキっていって……」と無理にわかってもらおうとする必要は全くありません。

逆に興味を持ってくれたら、一つの説明の仕方として「気功は人の作った気を送るのだけど、これは周りの自然なエネルギーを送っているだけだよ」と言えば、極端に怪しくは感じません。「自然な気」でもよいです。書籍やネットに書かれている「宇宙エネルギー」という表現は、そういった言葉に耳慣れない普通の人にとっては、非常に怪しく感じるので避けるべきです。

練習会へ参加する

独りで暮らしていて、なかなかレイキの相手がいないとき、家族にレイキしているけど良い反応が返ってこないとき、自分のレイキに自信のないときなどに、練習会へ参加することは非常に助けになります。

こうした行動によって、レイキを続けてゆくモチベーションもアップします。伝統霊気では定期的な練習会に参加することが、霊気の上達には必須とされているぐらいです。

そのスクールの受講生でなくても参加できる場合もありますので、積極的に問い合わせて、どんどん参加することをお勧めします。

一人の時の練習法

人に使う、自分に使うという以外に「発霊法」という練習法があります。これはレイキを使うのではなく、ただ出すこと（発霊）によって練習をするものです。

これにはいろいろな種類がありますが、ここではもっともシンプルな発霊法をご紹介します。それは、ただ合掌をするだけという方法です。

レイキは出すという意識もせずに、自然体にしていると自然に出ます。リラックスして穏やかにしていれば、常に一定の量が手から出ています。この状態で、両手を合わせて合掌します。両手を合わせると、片方の手から出ているレイキがもう一方の手に作用します。そうして、それぞれの手が、お互いにレイキを送り合うことになります。

手のような気の出入り口がレイキを受けると、活性化されて、さらにレイキが出やすくなります。合掌することによって、徐々に手から出るレイキが増えて行きます。

また、ヒビキの感覚を掴む練習も大切です。ですから、手の感度を高める練習法も紹介します。「発霊法」と合わせて行うと、効果が高いでしょう。

発霊法

合掌は力を抜きましょう。手から力が抜けると、手のひらの中央は密着せずに、1cm位離れる感じになります。

腕や肩からも力を抜きます。

姿勢はとくに制約はありません。正座でも、椅子でも、立っていても可能です。

目は開いていても閉じていても、どちらでもかまいません。

形やルールに捉われることなく、気軽に自然に行うのが大切です。初心者の場合は、あまり形を気にしないで、とにかく気軽に日常生活の中に取り入れることを最優先にしてみてください。

じっと合掌していると、様々な雑念が浮かんできます。これは全く普通です。

普通の人は容易には無心になれません。雑念が浮かんでくること自体をあまり気にしすぎないように。発霊法は多少の雑念は大きな影響はありません。瞑想状態になる必要もありません。

雑念が浮かんできたら、またリセットして意識を戻します。

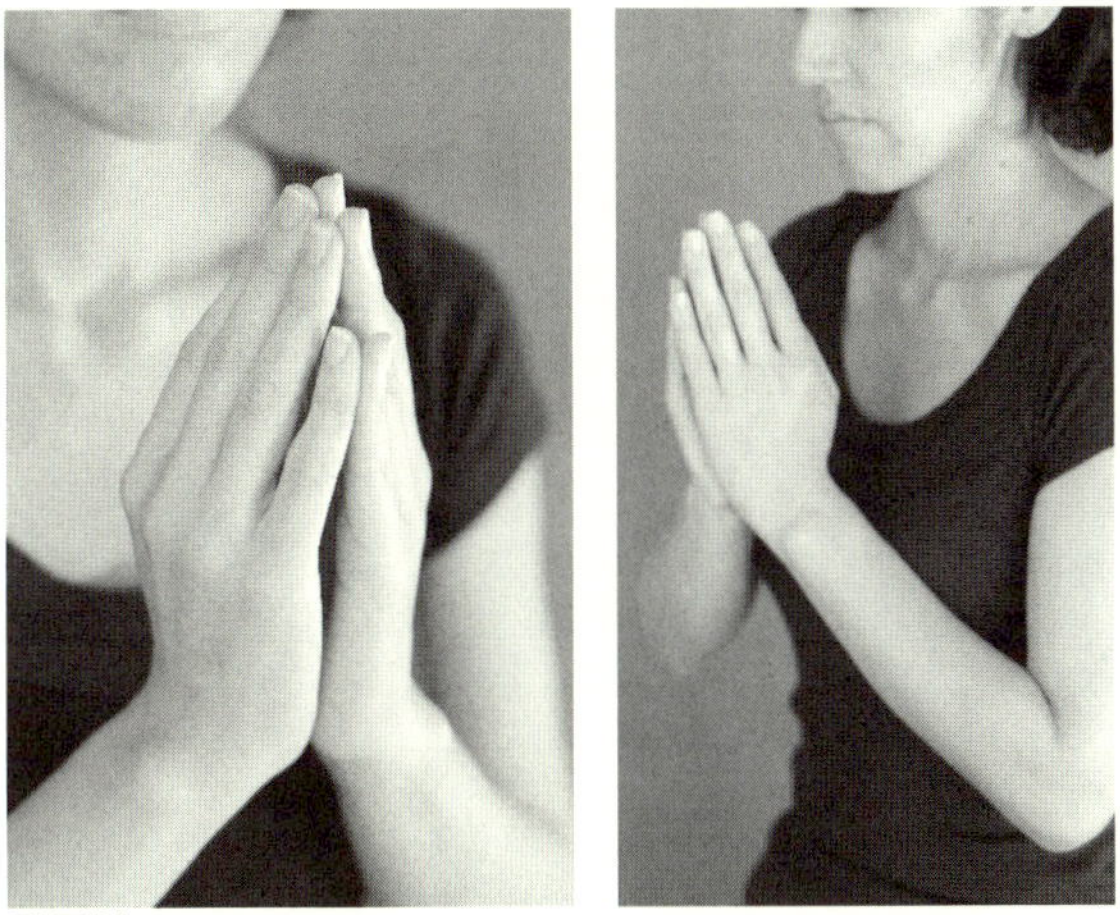

発霊法

人によっては目を少し開けていた方が、雑念が浮かびにくい場合もあります。ロウソクや花などを見つめていても良いでしょう。

もしも、どうしても妄想してしまってしょうがないときは、とりあえず全力で妄想してしまいましょう。徹底的に妄想する時間を持ってください。妄想しつくすと、すこし満足して、妄想から解放されやすくなります。


また、「出そう、出そう」「増やそう、増やそう」と意識してはなりません。何かをイメージする必要もありませんし、しないほうがよいでしょう。完全に自然な流れに任せましょう。

この方法は自然な流れに任せますから、少し時間が必要です。これで練習する場合は、最低10分は行います。

本格的な練習としては、これを30分以上行うことです。30〜40分行うと、手がジンジンしてくると思いますが、それはそれだけ気が多く出ているということで、練習としてうまく行っていることになります。長く合掌していると、手が少しずつ下がってくる場合がありますが、これもあまり気にしないように。この時はむしろ、ボーッとできていて、うまくいっているといえます。

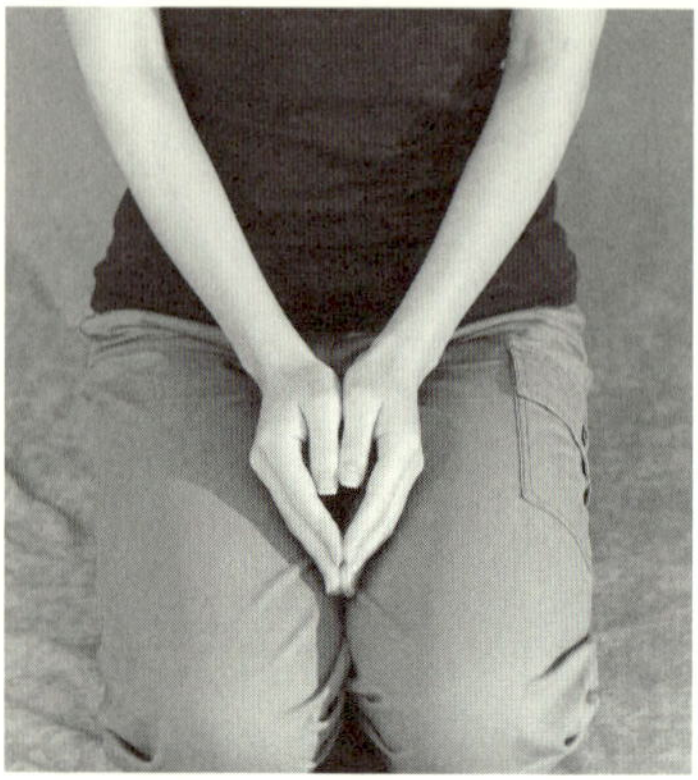

合掌というと、人前ではできないと思われるかもしれませんが、発霊法は必ずしも胸の前で合掌する必要はありません。

合掌の手は完全に下げてしまっても練習になります。手も、合掌の合わせ方ではなく、握手のようにしてもよく、とにかく合わさっていればいいです。そのようにして、日常の生活をしながら、こまめに行うのもお勧めです。たとえば、テレビを見ながら、電車で座りながら、仕事の休憩時間、お茶を飲みながら、話をしながら、入浴中など、手を下げておけば、全く怪しい感じにはなりません。私は、そのようにして随分と発霊法を日常的に行っています。瞑想のように難しく考えずに、気軽に行うのが良いです。

もちろん、静かな場所で、落ち着いて、姿勢を良くして、雑念を排して、真剣に実行できれば、素晴らしい練習になります。

しかし、あまり堅苦しく考えて、続かなくなってしまっては全く意味がありません。ながらの発霊法でも、生活の中に組み入れてしまえば、あとは容易に継続できます。これも継続は力なりです。

手の感度を上げる練習法

ヒビキは微妙な感覚です。私たちが日常感じている感覚の大きさと比べると、普段は「気のせい」として無視している程度です。

ここで紹介する方法で手の感覚を鍛えると、その微妙な感覚をとらえやすくなります。

まず大事なことは、事前に手を活性化させておくことです。練習の前に、この章で紹介した発霊法を行うか、自己ヒーリングをしておいてもよいです。手にレイキがたくさん通って、活性化されてからにしないと、感じにくいと思います。

以下は文献（5）に紹介されている方法です。写真のように、片方の手を、手首をまっすぐにして、肘を横に張り、指の方向をそろえます。

これで、指先から出ているレイキが束ねた指先からビーム状に出ます。それを反対側の手の平に、触れないように垂直に当てます。

それから、ゆっくりと少しずつ、なぞるように当てるポイントを移動してゆきます。

このとき、レイキビームを受け止めている手に微妙な感覚が生じます。局所的に風が当たっているような感じ、微妙になぞられているような感じ、局所的に暖かく感じるなどあります。レイキビームを送るポイントは、手のひらだけでなく指も試しましょう。場所によって感じ方が違う場合もあります。

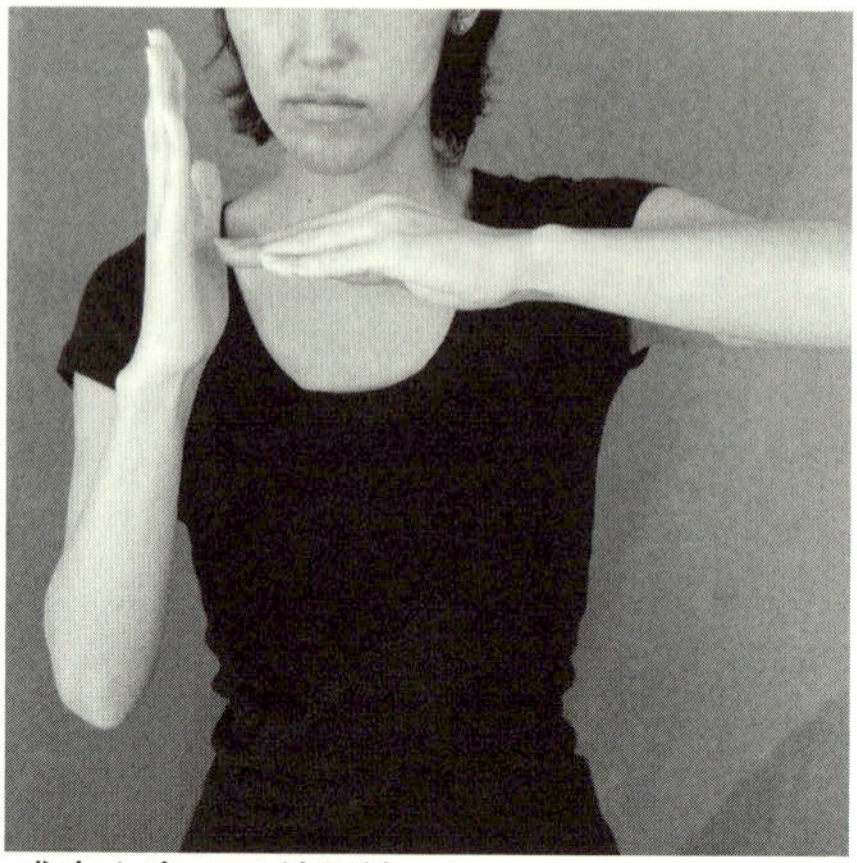
感度を高める練習法

次に、左右の手の役割を交代します。この際に、レイキビームを受け止めた時に、左右どちらの手が感じやすいか調べてみてください。レイキの出る量は、左右の手で大きな違いはありませんが、手の受ける感度は左右が違う場合が少なくありません。

私のスクールの受講生の実績では、約6〜7割の人は利き手と反対の手が敏感です。これは推測ですが、利き手の方が常に刺激を受けることが多く、刺激慣れしてしまっているせいかもしれません。

これでまず、自分の左右の手でどちらが敏感かを覚えておいてください。実際にヒビキを感知しようとする場合は、感度の良い手で行わないとわかりにくいと思います。


訓練としてはここからです。

レイキビームを送る方の手を少しずつ離して行きます。最初、1cmの距離で感じられたら、送る方の手を2cm、3cmと離してゆき、自分がギリギリ感じとれる距離まで離してゆきます。こうして、自分が感じとれる最小の感覚を認識することで、徐々に微妙な感覚が養われて行きます。

慣れてくれば敏感な手のほうでしたら、50cm、ときには1m離してもわかることがあります。これぐらい離してもわかるようになると、あなたは気の感覚を良くマスターしたことになります。このぐらいのレベルになれば、オーラ、チャクラ、鉱物、物などのレイキ以外の気・エネルギーが感知できるようになります。

他人へのレイキで練習以上のものを

「1+1=3以上」になる

以上、レイキの練習法を紹介しましたが、私の経験では、他人にレイキをすることがもっとも良い練習法だと思います。発霊法だけやるとか、自己ヒーリングだけやるとか、ヒビキ検知の練習だけやるとか、あまり偏らないほうが良いでしょう。

他人にレイキをするのは、それなりに努力が必要です。意識的に機会を見つける必要がありますし、相手と関わって行かなければなりません。しかし、それはいろいろな意味でレイキをする人にとって、無限の価値を持ちプラスになるものです。

レイキでは、面白いことに他人にレイキをすると簡単に「1+1=3以上」になります。他人にレイキをすることで、自分が得るものと、相手が得るものと、そして相手と自分が一体となり作り出すものとがあるのです。

自己ヒーリングしかしなくてもレイキは役に立ちますが、その人は本来の3分の1以下の世界しか知ることができません。

自分の悩みを解決したいためにレイキを始めたとしても、他人にやってあげることが自分の悩みの解決にもつながります。また、ヒビキの検知も実際にいろいろな人にレイキをして、ヒビキを生で感じて行くことが最高の練習になるのです。

今はどうしても他人にレイキをする機会がない、する気持ちになれないという人でも、私がここに書いたことを重く受け止めてください。そして、努力して他人にレイキを使うチャンスを模索してください。

実践こそが練習

世の中にあるいろいろな手法は、それができるようになるまでの方法論やステップがあります。

例えば、「Zをする」という目標がある場合に、まずその基本であるAを練習して、それができるようになったら、Aの応用であるBをやりなさい。Bができるようになったら今度はCをやりなさい。Cができたら今度はDと……、そうやって進んでゆきます。

よくあるハウツーものというのはそういう流れになっています。皆さんもレイキを始めたときは、このような形に思考回路が働くことがあります。

しかし、レイキはこれらとは根本的に違うのです。

なぜなら、レイキは誰でもすでにできる状態からスタートするからです。レイキは習得するものではありません、もともと持っている能力を磨いてゆくだけなのです。だからレイキでは、細かい方法論や綿密な訓練法、あるいは目的に到達するまでのゴタゴタした理屈などは無いか、あっても副次的・補助的なものであって、本質ではないのです。

最初の段階で「もう使えますよ」と言われても、必ずしも実感がないかもしれませんが、それでもレイキは出ています。そういったときに、この章に書かれていることを試してゆけば、実感を高める良い助けになります。

本来は練習という概念は必ずしも必要なく、実践が練習であり、練習は実践をすればよいのです。レイキは目的と手段が一致した世界なのです。

第8章　レイキのスクール選び

レイキは1回の講習を受ければ、
すぐに実用的に使えるようになります。
スクールは多数ありますが、
何を基準に選べばよいのかお教えます。

レイキを出すには

レイキは誰でも能力を持っていますが、そのままで実用的な量が出る人は少ないでしょう。

もちろん、自力でレイキが実感できる程度に出るようになる方法もあります。それは第7章で紹介した発霊法を、一回30～40分、5日間連続で行います。そして、五戒を努力しながら、心身共に健全に生活するよう努め、その後も発霊法を習慣的に行えば、レイキは徐々に出るようになります。ただ、この場合、実用的な量のレイキが出るのに、一週間かかるか、一ヶ月かかるか、一年かかるかは、心身の状態で予想がつきません。

ですので、多くの人にとってレイキが出るようになるには、講習を受けて本人のレイキの流れを良くしてもらい、実際の使い方を教えてもらうのが、もっとも早道です。

ただ、講習前の準備として、「発霊法」や五戒を実践するなど、自力でレイキを出す方法を試しておくのもプラスになると思います。

講習でレイキを学ぶ

一回の講習で簡単にレイキが出る

講習に参加すると、「アチューンメント（attunement）」あるいは「霊授」をしてもらうことになります。すると、体のレイキの流れが良くなり、その場でレイキが使えるようになります。

アチューンメント・霊授は、レイキセラピーに似ています。その人にレイキをすると、そのレイキをした部分のレイキの通りが自然と良くなるのです。そのため、レイキセラピーを何度も受けた人は自然にレイキが使えるようになることがあります。アチューンメントや霊授は、これを効率よく短時間で確実に実現するように工夫されています。

通常、レイキ講習は1日の講習で、数回のアチューンメントや霊授を受け、レイキの歴史や使い方などを学びます。

費用は数万円です。特別に難しいことは何もなく、すぐに講習中からレイキが使えるようになります。そして、誰でも必要なことができるようになります。
講習を1回受けるだけでレイキを一生使い続けられますし、使うための費用もありません。会費も必要ありません。これで得られるものを考えると、これほどお得なことは他にないと感じるぐらいです。

講習の内容

レイキ講習は世界的に標準になっている構成があります。この構成は3つのレベルから成り、伝統霊気で初伝、奥伝、神秘伝という構成がとられていたのを引き継いでいます。

レベルⅠ　レイキを自分や他人、ペット、物などに使えるようになる
レベルⅡ　効果のアップ、精神面への作用アップ、遠隔でレイキを送る技法を学ぶ
レベルⅢ　レイキを精神性の向上や人生の助けとして使う

これらの講習は各自の必要なレベルまで進めばよく、どのレベルで止めても何も問題はありません。レベルⅠだけでも、家庭内療法として強力な武器になります。遠隔などの各種技法が学びたいという場合は、レベルⅡまで受講するとよいです。

レベルⅠ

○講義内容	○実習内容
・五戒、レイキの歴史	・3回のアチューンメント
・レイキの特徴、アチューンメントの説明	・手の使い方、手を当てる場所
・手の使い方、手当ての時間	・様々なポジション
・病腺、ヒビキの感知の仕方	・自己ヒーリング
・自己鍛錬法、発霊法	・ヒビキの感知
・乾浴法、邪気切り法などの技法	・発霊法
・動物や子供へのレイキ、物への応用	・乾浴法、レイキシャワー

以下に、私のスクールのカリキュラムを紹介します。スクールや教師によって実際の内容はかなり差異がありますが、その点についてはこの章の後半で補足してゆきます。

レベルⅠ（1日講習：10時〜16時）

レイキの基本の考え、世界観、歴史を学び、3回のアチューンメントを行い、その場ですぐにレイキが使えるようになります。手の詳しい使い方、ヒビキの感知などの技法を、実習しながら学んでゆきます。手を当てることに慣れてゆき、レイキの実感や心地よさ、ヒビキの感覚を体感してゆきます。

レベルⅡ（1日講習：10時〜16時）

レベルⅡでは、各自の眠っている潜在力をさら

レベルⅡ

○講義内容	○実習内容
・シンボルとは、マントラとは ・効果をアップする第１シンボル・マントラ ・精神面へ作用させる第２シンボル・マントラ ・遠隔でつながる第３シンボル・マントラ ・各種の応用的使用法（浄化、悪癖療法） ・過去、未来、状況、人間関係へのヒーリング ・自己鍛錬法など	・３回のアチューンメント ・第１シンボル・マントラの実習（効果アップ） ・第２シンボル・マントラの実習（精神面のヒーリング） ・遠隔レイキの実習（近距離と遠距離での練習）

に引き出します。

通常のレイキの効果を高める、精神面や感情面に焦点をあてた癒しをおこなう、そして遠隔で離れた相手にレイキを送るといった高度な技法を学び、レイキの適用力、適用範囲を強化拡大して行きます。

シンボルとマントラという、聞き慣れないものが出てきます。シンボルは簡単な文字や図形のようなもので、マントラは短い音で、普段は潜在能力としては持っていても、発揮できない部分を使えるようにします。講習では実際に遠隔ヒーリングの練習をしてゆきますが、初めてでも大部分の人はうまくゆきます。

レベルⅢ（１日講習：10時〜16時）

この本を読んだとき、何か気になる、妙に惹か

レベルⅢ

○講義内容	○実習内容
・サードディグリーの意味	・３回のアチューンメント
・第４シンボルの使用法	・第４シンボルの練習
・浄心呼吸法、瞑想法	・浄心呼吸法、精神統一、瞑想法
・ハイヤーセルフ、高次元の意識	・ハイヤーセルフへの接続と対話
・レイキを高い視野から理解する	・高次元の意識への接続と交流
・臼井先生の考え方、教え	・助けを得るためのコツ
・直感力の向上法、直感的技法	・五感と直感力を鍛える実習
・各種伝統的ヒーリング	・霊示法、オーラとチャクラの感知

れる、ワクワクする、などありませんでしたか？

価値観や世界観の点で、何か刺激や共感を感じたら、それはレベルⅢの入り口に立っています。

レベルⅢは自身の精神性や直感を高め、安らかな人生を送るのが目的です。日常の生活の中で、直感を使い、高い次元とつながり、助けを得るテクニックを学びます。高い次元というと、身近ではないかもしれませんが、実際には誰でも生まれつき高い次元とのつながりを持っています。

レベルⅢの技法は、それを身近に引き寄せるためのものです。困っているとき、悩んでいるとき、方向性が分らないときなど、これまでよりスムーズに前に進むことができるでしょう。

ティーチャーコース

さらにスクールによっては、レイキの指導者を養成するためのレベルⅣあるいはマスターコース、ティーチャーコースと呼ばれる講習が用意されています。

私のスクールは、一度に1人〜数人の生徒を丁寧に教えてゆくスタイルです。しかし、レイキはそのテーマとして、自己啓発、精神世界、ヒーリング、代替療法、家庭内療法など、とても幅の広い分野にわたっており、私のスクールが読者の趣向と必ずしも合うとは限りません。そして、講習は1回受けてそれでおしまいというのではなく、そのあとのフォローアップや練習会も大切ですから、近くのスクールで受けることにもメリットがあります。

この章の後半にあるスクールの選び方を参考にされて、自分にあったスクールを見つけられるのが良いと思います。

講習で大切なこと――必ず実践しながら進むこと！

講習を受けるときに、とても大切なことがあります。

最近の傾向として、レベルⅠ→レベルⅡ、あるいはレベルⅡ→レベルⅢを、非常に短期間で受講するケースが見られますが、これは一番良くないことです。

レベルⅠを受ければ、何にでもレイキを使えるようになりますし、家庭内療法として十分に活用してゆけます。周りの人にレイキして喜んでもらったり、実際に効果が出てきたり、家族との距離が縮まったり、今まで知らなかった実感と経験が生まれてゆきます。その中で、素晴らしい「気づき」や自分の変化を体験することもあります。

レイキの面白さや素晴らしさは、講習を受けることにあるのではなくて、実際に使って行く過程にあるのです。講習で他人の経験を学ぶことではなく、自分自身が体験することに面白さや素晴らしさがあるのです。レベルⅠを受ければ、それがたくさん可能になりますから、まずそれを体験しましょう。

一方、レベルⅡはシンボルとマントラを使い、非常に技巧的な内容になります。手を当てて相手や自分を癒すという、一番大切な実感が出来ていないうちに技巧を学んでも、頭が技巧で一杯になってしまって、肝心の実感は希薄になってしまいます。ある程度レイキを直感的に使えるようになって、初めて技巧が生きてくるのです。

レイキは、自分で実践、経験、体験してゆくことで、自分の能力を高めてゆく自力本願の世界です。レイキのように目に見えない、普段の感覚とは違ったものを身につけてゆくときは、自身で体験することは特に大事です。短期間で次々と講習を受けていっても、得られるものは他人の経験の情報にしかすぎません。

焦って先へ進んでも、結局は、お金を使って何も身に付かなかったという事実だけが残ります。レベルⅠ→レベルⅡ、あるいはレベルⅡ→レベルⅢと進むときは、必ず自分でそれまで習ったことを実践、体験して、ある程度の実感が得られてからにして下さい。他力本願で、講習さえ受ければ何とかなるだろうと思っていても、それでは絶対にうまく行きません。

レイキ・スクールの現状

自由だが混沌としている

レイキは統轄する団体がないこともあり、非常に自由な世界になっています。

これには良い面もたくさんありますが、裏を返せば、レイキのスクールは千差万別、ピンキリ、混沌としているともいえます。これからレイキを身につけたいという人にとっては、いったいどのスクールや指導者から学んだらよいのか、非常にわかりにくいと思います。

この時の助けになるような情報や知恵は、これまでのレイキの書籍にほとんど書かれていませんでした。この章の内容は私個人の考えになりますが、これからスクールを選ぼうという人にとって役に立つと思います。

名ばかりのレイキ「マスター」も多い

伝統霊気の養成システムは、武道などのような道場形式を模倣して作られ、指導的立場にある人は「師範格」「師範」と呼ばれていました。師範になるためには、長い実践と経験、そして年月を要し、それなりに実体を反映した、意味のある肩書きでした。本来の霊気の養成システムは、日本の伝統文化に基づいた信頼できるものでした。霊気をハワイ・アメリカに伝えた高田はわよ先生も、養成の期間を短縮しましたが、基本的にはこのシステムに従っていました。

しかし残念なことに、その後レイキが大衆化されるにつれて、伝統霊気や高田先生が行っていた指導形態は崩壊してしまいました。今では、その人の能力や指導力と無関係に「マスター」や「ティーチャー」の認定が与えられることが頻繁に見られます。

スクールによっては、レベルⅠ→レベルⅡ→レベルⅢ→マスターコース（あるいはティーチャーコース）と、単にお金を払って受講しさえすれば、誰でも〝マスター〟になれてしまうのです。人に教える力を持たないマスターが数多く存在するという憂慮すべき事態が、今日のレイキ業界の致命的な問題になっています。

さらに輪をかけて状況を悪くしているのは、レベルⅠからマスターコースまでを短期間で受講させるスクールが、無視できない数あることです。極端なスクールでは、たった1日や数日でレベルⅠからマスターコースを〝教える〟所もあります。その結果、自分ではまったくレイキの実践をしていない〝マスター〟が生産されているケースもあるのです。

これほど極端でなくても、マスターコースの受講に何も条件を設けないスクールも少なくなく、数ヶ月の間でほとんど実践していなくても、人に教えた経験がなくても、〝マスター〟になってしまう場合があります。私はこういった人達を「ナンちゃってマスター」と呼んでいます。「ナンちゃってマスター」達は何もしなければ害はありません。受講したスクールへ資金提供をしてくれている程度です。

しかし、実際にレイキを使うと問題を生じます。こういった人たちは、自分で十分にレイキを使っていませんから、人にやってあげても効果が微弱だったり、受けた人の実感が少なかったり、「レイキって、そんなもんなの」という誤った認識を流布する結果になります。レイキに対する理解も十分でないので、質問に対して誤解を生む答えをする場合もあります。

この程度ならまだ救いがありますが、恐ろしいことに、「ナンちゃってマスター」でもスクールを開くことが出来ます。そうなると今度は被害者を生み出してしまいます。

そのスクールで教わる生徒は一番の被害者です。ナンちゃってマスターは勉強や情報収集をしない傾向にあり、自分が教わったやり方が唯一正しいと信じています。ですから、自分のスクールでも、同じやり方で次の世代のナンちゃってマスターを生み出してゆきます。もしも、こういったことが続いてゆくようでしたら、レイキは雲散霧消してしまうでしょう。

こういった「ナンちゃってマスター」を作り出さないためには、指導者を養成する際に、十分にその質に留意することが必要です。レベルⅠからでも、いろいろな形でレイキの実践を生徒に促すことが大事です。特に指導者養成の講座は、十分な経験と実績を持った者だけに受講させるべきです。

ただ残念なことですが、実践が不足している生徒、必要な水準に達していない生徒でも、次のステップの受講を許せばスクールにお金が入ってきてしまいます。つまり、日常の指導を徹底し、妥協のない受講条件を設けるのは、金銭的な動機が起きにくく、その判断はマスターの倫理観に頼るだけになります。

やはり最良の方法としては、レイキの講座を受講する側が、こういったナンちゃってマスターを見抜いて、自分のお金を最大限有効に活用することが大事だと思います。

「ナンちゃってマスター」もいますが、良いレイキマスターもたくさんいらっしゃいますから、この本を読まれた人はきっと良いマスターを見つけられるでしょう。

レイキ・スクール選び、ここが大切！

講習料金は内容と質を示さない

レイキ講習の料金は大きなバラツキがあり、どこで学ぼうかと考えている人を混乱させる、最初の要素だと思います。

レベルⅠの受講料は1～6万円と非常に幅があります。また、レベルⅠ↓レベルⅡ↓レベルⅢと進むに従って、料金をアップするスクールが少なくありません。高いレベルまで学ばれようとする場合は、トータルの費用がどうなるのかも、把握しておく必要があるでしょう。

こういった料金設定は、欧米でレイキを広めた高田はわよ先生の設定が影響しているようです。これはレベルが上がってゆくに従って、「しっかりと学ぶのだ」という生徒の決意を試すためともいわれていますが、スクールの収益面が主な理由だと思います。実際には、教える側の手間や経費としては、どのレベルでも大きく変わるわけではありません。

ここで私が強調したいのは、レイキ講座の受講料は、その内容や質をほとんど反映していないということです。安くても良い講座もありますし、高くてもたいしたことのない講座もあるでしょう。

私がレイキを最初に学んだスクールは、集団での講習でしたが、レベルⅠが1万円台で、テキストも講習もしっかりしたもので、練習もちゃんとありました。

だから、安いからといって、必ずしも悪くないですし、高いからといって、必ずしも良いわけではないのです。これは選ぶ側にとっては非常に分かりにくいですが、逆に言えば、安くて良い講習も実在するわけで、賢く選べば、得をすることにもなります。

少なくとも言えることは、受講料金はスクール選択の基準には全くならないということです。ご自分が払える上限を決めて、その範囲で選択することになると思います。

認定書に優劣はない

繰り返しになりますが、レイキは統括する団体はありませんし、また特別に影響力の強い団体もありません。各スクールで発行されている認定書は、あくまでそのスクール独自のもので、公的効力や一般的認知性はありません。

スクールによってはＮＰＯ法人を作って認定書を発行している場合もありますが、これと一般のスクールの認定書と、そのレベルや効力に差があるわけではありません。

そもそも、レイキは誰にでもできるようになるわけですから、受講しただけで得られる認定書は資格的要素にはなりくいのです。つまり、認定書の違いはスクール選びの基準にはならないのです。

実習時間の多いところを選ぼう

講習時間が2~3時間のスクールでは、実習や練習を入れることが物理的に困難です。そもそも、1回のアチューンメント自体が10~15分かかり、講習中に3回のアチューンメントを受けたとすると、残りの時間は多くありません。

短時間講習では、アチューンメントをして、講師が多少の説明をして、「あとはテキストを読んで、自分でやってみてください」という傾向になりがちです。

単に手を当てることだから、テキストを読めばわかるというのは、とんでもない誤解です。人に手を当てるというのは、単純ですが普段しないことですから、その場で練習をして、違和感や心配を取り除くことが大切です。

講習で実習や練習をしていないと、実際に使おうとした時に「どうやるんだ?」と戸惑ったり、無駄に悩んだりしてしまいます。

もっとも困るのは、それによって使う機会や意欲を失ったりすることです。講習中の練習、実習は非常に大事です。事前に練習や実習に十分な時間を取ってくれるかどうかを確認することが大事です。

ただ安いからとか、自分に時間がないからといった短絡的な理由で、講習時間が2〜3時間のスクールを選ぶと、結局何も身に付かないということも起こり得ます。

まずレベルⅠだけを受けよう

この事はすでに書きましたが、非常に大切なのでもう一度説明します。

スクールによっては、レベルⅠとレベルⅡを連日で受けさせるところがありますが、これはレイキの習得という点では非常に大きな問題があります。レベルⅠを受ければ、すぐにレイキが使えるようになり、自分にも、他人にも、ペットにも、場所にも、物にもレイキを使って行けます。レベルⅠだけでも非常に用途が広く、使える機会が少なくて困るということは絶対にありません。

自分の心身の状態も、レベルⅠを受けることで、人により速度の差はあっても、改善されて行きます。そのまま使って行けば、気の感覚やヒビキの感知など、徐々に感覚的な点も改善されて、実感が確かなものになってきます。

レベルⅡの内容は技巧的で、覚えたり、使って慣れたりしなければならない部分が多いのです。レベルⅠを受けた直後にレベルⅡを受けてしまうと、本来はレベルⅠのあとに体験するべき大事なことが抜け落ちてしまいます。頭がレベルⅡの技巧的なことで一杯になってしまい、本来のレイキの良さがわからなくなってしまいます。

私のスクールでは、レベルⅠのあとに、十分に自分でレイキの体験をしてもらうよう指導していますが、これが受講生の大きな利益になるのを、いつも目のあたりにしており、この重要性を痛感しています。

出版されているレイキの本にも、レベル間の間隔を空けるように書かれています。

例えばレベルⅠ→Ⅱの間隔に関して、文献（8）では「少し期間を空けるのが望ましい」、文献（7）では「1ヶ月から3ヶ月」、文献（13）では「3ヶ月」、そして文献（9）では「3ヶ月から6ヶ月」などと、これが、これまでレイキを深く実践されて来たマスターたちの知恵なのです。

ところが昨今のレイキスクールでは、レベルⅠとレベルⅡを連日で提供されているところが少なくありません。

何故このようになってしまったのでしょうか。

第一は、スクールの営業利益のためです。

多くのスクールでは、レベルⅡの受講料をレベルⅠよりも高く設定しているので、ⅠとⅡをまとめて受けてもらうのは、大変な！収益のアップになります。これは経営的に絶大な効果があります。また連日で開催すれば、会場の手配や準備などの経費を節減できます。

そして第二は、講座を受ける側の理由です。

一部の受講生は「たった2日で遠隔ヒーリングなどの高度な技法が習得できる」「連日で出向いたほうが自分の面倒が減る」「遠方から来ているので一度の旅行で済む」など短絡的な願望や要望があります。この両者の思惑が合致したために、今日のような残念な状況になってしまったのです。

もしも、レベルⅠとレベルⅡを連日で設定しているスクールで、自分が良いなと感じたら、その場合はとりあえずレベルⅠだけを受けることをお勧めします。

私が最初にレイキを学んだスクールも、連日でレベルⅠとレベルⅡを開催していました。そのときは、懐疑的だったという理由もあり、私はレベルⅠだけを申し込みました。

そのスクールは、ⅠとⅡを分けて受けることに何もイヤな顔をしませんでした。もし、その様に希望したときに、イヤな顔をされたり、あれこれと理由をつけてレベルⅡも受けさせようとする場合は、生徒の利益よりもスクールの収益が優先されていると見るべきです。

そもそも、レベルⅠを受けるときは、そのスクールが良いか悪いかもわかりませんから、レベルⅡまで予約してしまうことは、お金を払う側として賢い行動ではありません。レベルⅠを受けてみて、良かったらそのスクールのレベルⅡへ進むという、ごく当たり前のことをすればよいのです。

圧縮講習は受けてはいけない

最近は、レベルⅠとレベルⅡを同日で教えたり、中にはレベルⅠ～レベルⅢまでを、同日で教えたりするとんでもないスクールも散見されます。私はこれを「圧縮講習」と呼んでいます。圧縮講習は絶対に受けてはいけません。

こういったスクールでは、実際に練習したり、レイキの実感をする時間が全くないのが普通です。

私のスクールには、他所で圧縮講習を受けて、使い方が分からない、実感がわかないとして、再度レベルⅠから受講に来られるケースがよくあります。

レベルⅠ～Ⅲを一日で受けて、遠隔ヒーリングの方法を教わらなかったという詐欺まがいのスクールも実在します。教える側にその意識がなくても、圧縮講習は詐欺的な結果に終ってしまう可能性が高いのです。

普通にレベルⅠからレベルⅢまで受ければ、合計で20時間近い時間を使い、合計で9回ほどのアチューンメントを受けます。しかも、それは実際に日常でレイキを使ってゆくという、自身の実践の積み重ねの中で行われてゆくのです。その二分の一、三分の一で、しかも実践なしで同じ結果が得られるというのは、実にオカシイと理解できるはずですが、それでもそういった圧縮講習に魅力を感じる人が後を絶たないのは、何とも不思議です。もちろん圧縮講習を提供する側にこそ多大の問題がありますが、それを受けようとする側にも問題があります。

こういった圧縮講習に行っても、結局何も身に付かず、何も実感できずに終わる可能性が大きく、お金も時間も、そしてもっとも大事なことは、自分の学ぼうという意欲も無駄になってしまう可能性があります。圧縮講習という形態は、皆さんの常識ある選択で淘汰されなければなりません。

ヒビキを教えていればベター

ヒビキがわかるのとわからないのでは、健康維持のためにレイキを使う場合は、そのありがたさに大きな違いが出てきます。もしも、ご自分の興味がスピリチュアルな面だけだったり、他のヒーリングの補助として使われる場合はヒビキがわからなくても、十分かもしれません。

このヒビキを感知するテクニックは西洋には伝わらなかった部分で、1990年代後半に伝統霊気の情報が知られるようになってから、徐々に使われるようになってきました。

私が最初にレイキを習ったときも、テキストにはヒビキの説明があり、講師も説明はしてくれましたが、実際にヒビキを感知するための練習や指導はありませんでした。現状でも、ヒビキの感知を練習させている西洋レイキのスクールは少数かもしれません。

できれば、これを講習で行っているところがお勧めですが、それが見つからなければ、この本を読んで、練習してもらうのも一つの方法です。

練習会があると良い

レイキは、自分の日常で使うことが一番の練習になりますが、レイキをする人が集まって、お互いに練習するのは非常に大事です。

もともと伝統霊気では、講習と同じかそれ以上に、定期的な練習会が重要視されていました。しかし、今日ではレイキスクールが商業的に運営されるようになり、ほとんど収益のでない練習会は軽視され、収益の得られる講習ばかりが重視される傾向があります。

練習会は、レイキをする練習にもなりますし、レイキを受ける機会としても大切です。

一人暮らしの人は、他人にレイキをする機会がないときもあり、良いチャンスになります。逆に、家族に毎日レイキをしてあげていても、受ける機会が少ないので、レイキをしてもらうのは大きなメリットがあります。

また、お互いにレイキをやっている同士ですから、感想が聞きやすく、フィードバックしてもらうと「あー、自分でもちゃんと送れているんだ」と実感が出てきます。

ヒビキの感知も、ある程度の人数が集まると、はっきりと分かる不調箇所を持った人が必ずいて、練習がしやすいのです。また面白いことに、レイキをする人が集まって同時にレイキをすると気が充満して、皆さんのレイキの流れが良くなり、アチューンメントと似た効果があります。

さらに、ほかの人のレイキの体験を直接聞くというのは刺激になり、モチベーションがアップし、参考にもなります。レベルⅠを受けた人でも、一度でも練習会に参加すると、レイキの実感や実力が大きくアップするケースを頻繁に見ています。

講習と練習会は一つのセットとして考えるのが良く、練習会に参加すると、講習の価値もグッとアップします。練習会のメリットを理解されて、実施されているスクールはお勧めです。

マスターの人柄を知ろう

たくさんあるスクールの中から、通えそうな候補がいくつか出来たら、電話やメールで問い合わせをしてみましょう。

まともなレイキマスターであれば、水準以上のまともな対応や返事があるでしょう。変人的でも優秀なマスターはいると思いますが、他人に全く新しいことを教えようとする場合は、少なくともある程度の社会的な常識や対応が出来なければ、教わることは難しいでしょう。

レイキマスターによっては、自分でホームページを作ったり、ブログを持ったりしていますので、それらを読んでみることで、レイキに対する考え方や、その人の大体の人柄はわかるものです。

教わる、教えるとは基本的に人と人との付き合いです。最終的には理屈より、自分が親近感を持てたり、好意を感じるなどの直感的な部分がポイントになるでしょう。

レイキを使っているマスターか

そのレイキマスターが、自分でいったいどれぐらいレイキを使っているかどうかは、非常に大事です。実際にクライアントや自分自身、自分の家族などにレイキをあまり使っていなければ、当然そういった面でレイキを教えることはできません。

中には、実際にレイキをあまり使っていないマスターも存在するようです。

これを見分けるのは難しいかもしれませんが、そのマスターがヒーリング、セラピー、施療をどのぐらい大事に考えているかにも現れます。実際にヒーリングやセラピーを行っているマスターでしたら、まずはそれを受けてみるのも、非常に良いテストになるでしょう。

マスターによっては、自分がアチューンメントを受けた系統が、どれだけ臼井先生に近いかどうかを、宣伝している人もいます。レイキは能力分与ではありません。レイキ自体は誰にでも出来るようになるものです。臼井先生に近いかどうかは、重要ではありません。自分が何をしてもらったかが大事なのではなく、自分が何をしてきたか、何をしているのかが大事なのです。

どんなに素晴らしい系統のマスターでも、自分で実際にレイキを日々活用していなければ、錆び付いてしまいます。

最初は標準的なレイキを

欧米では、臼井先生が確立した霊気に、ヨーガーや東洋的な技法などを加えたり、天使など特定の存在のエネルギーを導入して「発展」させたレイキが見られます。こういった別の要素を付け加えて、改変したものを「発展型レイキ」と呼びます。レイキはもともと色がつかないものですから、このように他の色を付け加えることが容易にでき、それがレイキの特徴でもあります。しかし、一番最初にレイキを学ぶときは、色のつかない純粋なレイキを学ぶのがよいと思います。

自分の趣向と合うところを

レイキは応用範囲が膨大で、非常にスピリチュアル傾向の強いマスターもいれば、セラピー指向の強いマスターもいます。スクールによっては、レイキ以外のヒーリングを多く行ったり、オーラソーマやフラワーレメディーを主体にしているところもあります。

私がレイキを最初に習ったところは、フラワーレメディーを主体にしていました。他にもアロマセラピーの場合、占いの場合などもあるでしょう。もしも、それらにあまり興味がなければ、レイキを主体に教えているスクールの方が良いかもしれません。

なぜなら、他が主体のところのマスターはレイキの実践をすることよりも、他のヒーリングや手法をつかう機会が圧倒的に多く、マスター自身が十分にレイキを生かし切れているかどうかがわかりません。逆に自分が他の手法にも興味があれば、同じような傾向を持ったスクールやマスターから教わることで、得るものがあるかもしれません。

比較！「伝統霊気」と「西洋レイキ」

現在、レイキを教えている大部分のスクールは、高田先生が欧米に伝えて欧米で拡張された西洋レイキ（海外レイキ）か、それをベースに伝統霊気の情報を取り入れたものを教えています。西洋レイキと伝統霊気は何が違うのかという質問をよく頂きます。レイキのエネルギーは一種類しかありません、私たちが自然体になったときに自然に出るのがレイキのエネルギーです。西洋レイキも伝統霊気もそれには全く違いがありませんが、技法や何に重きを置くかなどが違います。左の表に違いをまとめてみました。

伝統霊気と西洋レイキのどちらを選択するかは、その人の指向性次第です。もしも、日常のできるだけ広い用途でレイキを使ってゆきたいという場合は、西洋レイキがよいかもしれません。もしも、クライアントのへ施療が主であれば、伝統霊気がよいかもしれません。

本来の日本的なものにこだわりたいという場合は伝統霊気を学ぶべきでしょう。ただ、私のスクールのように技法的には西洋レイキが主体だけれど、考え方や姿勢は非常に伝統霊気的と

伝統霊気	西洋レイキ
施療、治す	癒し、ヒーリング
直感的技法、要経験	スタンダードポジション、初心者重視
悪癖、悪習の治療	ストレスなど精神面一般に拡張
遠隔治療	遠隔に加えて、過去や未来、人間関係にも
シンボル等の技法はシンプル	シンボル等を複雑に駆使
シンボルはあくまでツール	シンボルを神聖視する
自力本願	他力本願の傾向

いう場合もありますので、問い合わせてみる必要もあるでしょう。

伝統霊気を学びたいという場合、少しややこしいお話をします。

スクールによっては「伝統霊気」あるいは「日本霊気」などと称して講座を行ったり、レベルⅠ～Ⅲのことを初伝・奥伝・神伝などと名付けているところがあります。これらは全て、実体は西洋レイキであって、それに伝統霊気の情報をある程度導入したものにすぎません。あるいは、マスターが文献（1）から伝統霊気の情報を学んだだけの場合もあります。

わずかでも伝統霊気とつながりのあった人から教えてもらっただけで「伝統霊気の流れを受けている」などと誇大に宣伝している場合も見られま

す。

土居裕先生が主催する「現代レイキ」も伝統霊気的な面はありますが、伝統霊気そのものではありません。伝統霊気の技法や考え方を、土居先生独自のやり方で西洋レイキにアレンジしたもので、純粋な伝統霊気とは一定の距離があります。

臼井先生が残した臼井霊気療法学会は、今も存在はしていますが、一般の人とは隔絶した組織になっています。会員数も三百～四百人と推定されています［文献（11）］。入会は紹介のみでしか出来ませんし、霊気をしても良い対象が会員か会員の家族だけにしか許されていません。入会の困難さだけでなく、霊気自体の情報も外部に出てくることが全くありません。

臼井先生が「されば之をば人間公益の為めに開放し、何人をも共に天恵に浴せしめ、以て霊肉一如を期し、人世天与の福祉を得しめんとするものであります。」［文献（2）］として公開伝授を進めた思想とは逆行していますが、いろいろな歴史的経緯でこのような残念な状況になっています。この臼井霊気療法学会から直接に伝統霊気を学ぶのは、選択肢としては存在していないのが現状です。

現在、伝統霊気を完全な形で学べるのは「直傳靈氣《じきでんれいき》®」が世界で唯一です。直傳靈氣は林忠次郎先生が当時教えていた霊気を継承しています。

林先生は、山口千代子さんを含む山口家と、その親戚の人々に霊気の伝授を行いました。このため、当時の林先生が教えていた内容、考え方、技法が、この親戚一同の記憶や記録によって、かなり完全に近い形で復元されています。山口家の人々は、昔から伝統霊気を身につけて、長年毎日の生活で使い、西洋レイキの情報に触れず、その影響を受けずに来た純粋な系統なのです。

子細な技法では臼井霊気療法学会と違う部分もありますが、伝統霊気を学ばれたい場合は、直傳靈氣を受講されるのが唯一の方法です。また、すでに西洋レイキを学ばれている人でも、レイキを究めようというときは、直傳靈氣を受講して、レイキ・霊気の全容を把握されるのが良いと思います。

（※伝統霊気と西洋レイキの詳細な比較と文化的背景に関しては、別の拙著「日本と霊気、そしてレイキ」（デザインエッグ社）が参考になると思います。）

最後は直感で

以上の要素を検討して、候補を絞り込んだら、あとは自分の直感で決めるのが良いと思います。仮に最善でない選択をしたとしても、それはそれで、自分なりに学ぶ部分があるものです。ある意味、数万円の講習であれば、気に入らなければ他所で受け直せば良い、というぐらいの気持ちでもいいと思います。

最初の経験は決して無駄になることはないでしょう。レイキというのは、実に広大で深遠な世界で、探索するのも長い時間がかかります。スクールは単に、どの木々の間から森へ入ってゆくかどうかにすぎません。ある木々の間からは森の奥へ進めない場合もあると思いますが、そのときは単に、戻って別の木々の間から入り直せばよいだけです。その分だけ、あなたは森に関してより詳しくなり、それまでの経験は決して無駄にはなりません。

レイキの世界には何も「失敗」はないと私は理解しています。遠く感じる道もあれば、近く感じる道もあります。どのような入り口から入っても、どのような道順でたどり着いても、最終的にはレイキの森は、あなたを最上の慈愛で温かく迎えてくれるはずです。

第9章　自由でスピリチュアルなレイキを

レイキの自由さ、ポジティブさを理解すると、
その真価がさらに発揮しやすくなります。

霊気は戦前からスピリチュアルだった

スピリチュアルというと、欧米的な印象があるかもしれませんが、伝統霊気では、精神性や悟りも大変に重要視されていました。当時は、欧米物質主義の洗礼を受けていない日本古来の考えが、霊気や他の療法を実践する人たちの根底を流れていました。霊気が欧米で、ニューエイジやスピリチュアルを支持する人たちに受け入れられたのは、そのような要素がもともとあったからでしょう。

私から見ると、欧米のスピリチュアル文化は、日本人が昔から育んできたものに、すこし追いついた程度ではないかと思えるほどです。

なぜ私がそのように感じるかというと、欧米で育まれた西洋レイキには、レイキ本来の自由さを制限したり、レイキの力を過小評価したり、人間をネガティブで非力な存在と考えたりと、本来はなかった歪みが導入されているからです。

そのため西洋レイキでは、みすみす使う機会を失ったり、効果を低減させたり、その真価を発揮できない人が数多く存在しています。

加えて、一般の人から見ると、こういった歪んだ実践は、マニアックに見えたり、宗教的に見えたりと、違和感のあることが多く、レイキがさらに広く一般へ普及するためには、マイナス要素となっています。

この章では、そういった西洋レイキの歪みに切り込みながら、本来のレイキが持っている自由でスピリチュアルな面を明確にしてゆきます。レイキの真髄を理解することで、レイキの本当の実力を発揮させる助けにもなるでしょう。

私たちは常にレイキとつながっている

レイキはリラックスして、自然体になれば、いつでも私たちの手から出ており、いつどんなときでも使えます。私たちは、このような素晴らしい能力を生まれながらにして持っているし、常にどんなときでも、味方になってくれます。一旦、これが実感できると、人間や自然に対して、とてもポジティブな感覚が持て、感謝も生まれます。

ところが、困ったことに、西洋レイキでは儀式や準備をしないとレイキが出ない、あるいはレイキとつながらないという意識があるのです。

普段の私たちは汚くて低級だから、浄化という行為をして、レイキとつながる儀式をしないと、キレイになれない、そしてレイキが使えないという感覚です。スクールによっては、乾浴《けんよく》やレイキシャワーという儀式をしないと、レイキができないと教えることがあります。

儀式は気持ちを切り替えたり、気分をリフレッシュする作用がありますので、その様に活用すればよいのですが、それらをやらないとレイキができないというのは完全に誤った考えで、弊害しか生み出しません。

友人や家族にレイキをするときに、儀式をしなければならなかったら、日常でレイキを使うなんてできなくなってしまいます。事実、他スクールでその様に教わった生徒さんは「だから使う機会がなかなかなくて」とか、「家族に使うのに躊躇してしまって」など、現実にレイキが使えなくなる苦い経験をしています。レイキを習ったけど、なかなか使う機会がないのは、こういったとんでもない誤解が原因で起こっている滑稽なケースが少なくないのです。一般の人から見ると、まるで笑い話のようですね！

もともと自然な形で持っている素晴らしい自分の力を、仮に実感できないとしても、わざわざ自分から切り離して考え、儀式のような手続きをして、その力を自分に「つなげる」というのは、何ともナンセンスではありませんか！　つなげるという意識はレイキでは必要ないのです、最初からつながっているのですから。

私たちは、けがれているわけではない

西洋レイキでは自分自身や相手を浄化するという行為が、神経質なほど頻繁に出てきます。つまり普通の状態では、私たちは汚れている、けがれている、という感覚が根底にあるようです。アチューンメントを受ける前に手を洗うことを要求されたり、相手にヒーリングするとき

に自分の手を浄化するよう強調したりします【N】。中にはヒーリングを受ける人にまで、手を洗うことを要求するヒーラーもいます。

もし普通の人が、整体やマッサージを受けに行ったときに「では、まず手を洗ってください」と指示されたら、違和感を感じるのが普通でしょう。

これは、キリスト教の原罪（すべての人間は生まれながらにして罪を背負っているという考え）の意識がその背景にあるのかもしれません。私たち一般の人間は低級で汚れていると考える人間観があるのかもしれません。あるいは、学校教育で自分に否定的なイメージを植付けられる傾向があるためかもしれません。

一方、本来の伝統霊気には古神道的な考えが組み込まれています。私たちは神から別れて生まれてきて、修練を積めば尊いことも実行できる、決して低い存在ではない、という考えが根底にあります。

実際、私たちは24時間常にレイキとのつながりがあり、リラックスしていれば常に手からはレイキが出ています。ですからレイキヒーラーが、手をエネルギー的に浄化するというのはナンセンスで、本来必要ではないのです。むしろレイキマスターであるならば、手から強力にレイキが出ていますから、アチューンメントを受ける人は、そのまま受ければ自動的に浄化されます。受ける人が浄化されているかどうか、そういう心配は不要です。

それでも、自分がなんとなくスッキリしない、気になるということでしたら、浄化の儀式をすればよいのです。儀式は有効なツールです。しかし、それが過剰になるようなことがあったら、それは自分の心配心や恐怖心から来ている、妄想から来ているということに気がつくべきです。そして、他人に浄化を強要することは、単に自分の心配心を伝搬させているだけで、これは慎むべきです。

レイキやアチューンメントを受ける人に浄化を要求しても、それは無駄な緊張を生んで、逆にマイナス要素にしかなりません。

レイキは「できること」を意識させる

私たちは子供のとき、学校で「これが不得意」「これができない」「あれが苦手」「才能がない」

【N】プロのセラピストの場合は、衛生管理の一貫として手の洗浄することは必須で、当然です。ここでは一般のレイキ使用者の場合を考えています。

「人並みだ」「自分には難しいことはできない」など、自分に対して多くのマイナスのイメージや評価を与えられます。

何かができるという面よりも、何かができないという面に、特に目を向けさせられます。人によっては社会人になっても、自分に全く自信が持てない、自分など価値がない、自分は役に立つ事はできないなどと思い込んでしまう人が数多くいます。

レイキを受講する人は、かなりの割合「はたして自分でもできるのだろうか」と心配しながら受講します。そして、講座では「これもできる」「あれもできる」「こんなことも可能」と言われて戸惑うこともあります。さらに、それが訓練とか修行をしなくても「誰でも元々そういう力がある」と言われて面食らってしまうこともあります。

講座を教えていて感じるのは、多くの人が大人になるまでに、「できない」という意識を心に植え付けられているということです。レイキは、自分ができるという部分にスポットを当てて、自分のプラスのイメージを回復し、自分の本来の価値を認識させてくれます。

自分には他人を癒す能力があるという事実を知り、人から実際に喜ばれ、それを実感として感じとることは、その人自身の価値を大きく変化させます。たとえ、それが誰にでもできることでも、その人にとっては、とても大事な意味を持ちます。

自分に対して肯定的なイメージができることは、その人の心や魂にとって、極めて大切なことです。自分に対して深く自信をなくしたり、自分の価値を見失って落ち込んでいた人が、レイキを使えるようになって、自信を取り戻し、元気になってゆくのを数多く見ています。

人間でも素晴らしいことができる

伝統霊気では「人間は万物の霊長」という考えがあります［文献（1）P53］。人によっては、この表現は人間のおごりだと捉える場合もあるでしょう。

しかしこれは、臼井先生の言葉にもあるように、人間は修養の如何によっては非常に尊いことができる、だからしっかりと修行修養して、良い行い、素晴らしい行いをしなさいという意味です。また同時に、人であれば誰でもそのような素晴らしい力や潜在能力を持っているのだから、責任ある行動をしなさいということです。

私たちは地球上の他の生命と比べて、格段に高度なことができます。ただ多くの人は、日常生活の中でどれほど高度なことができるのか、まったく忘れてしまっている場合がほとんどです。

水の入ったコップに手を近づけて、持ち上げて、口の近くまで持ってゆき、手首を回して水を流し込んで、またコップを元に戻すといった、まったく無意識で行っている動作でさえも、非常に複雑で高度な動きが必要で、大人の人間だけができる動作です。

考え方によっては、私たちは毎日奇跡を起こしながら、生活しているとも言えます。

この数十年、地球環境の破壊が急速に進んでいます。これはまさに「人間は万物の霊長」であることを忘れた結果だと思います。人間は、無意識のうちに地球をも破壊する能力を持っているのです。高度な能力を持っていることを積極的に認めて、それを責任ある形で使ってゆかなければならないのです。万物の霊長として、精神性を高め、修養を努め、責任を持って、地球環境を守っていくのが私たちのなすべきことであり、また実際にその能力を持っているはずです。

レイキは恐怖心や心配心から解放してくれる

私はレイキを仕事にする前は、アカデミックな世界にいたので「疑って実験をする、試してみる」というのは日常茶飯でした。その習慣を生かし、私がこれまでレイキを様々に使って実験し、また体験した中で、はっきりと気がついたのは、レイキには禁止令がないということです。「〜すると、こういう悪いことが起こる」「〜しないといけない」「〜してはいけない」などの禁止令は、実はレイキには必要ないことなのです。

残念なことに、欧米で広まったレイキには、本来は必要ない禁止令が多く付加されて、教えられています。レイキが欧米のヒーリングやスピリチュアルな世界で広まったとき、その分野

○誤った禁止令の例

クライアントの足の側へ回って移動してはいけない。
乾浴やレイキシャワーをしないと、レイキを始めてはいけない
ヒーリング中は常に両手を同時に使わないといけない。
スタンダードポジションは一旦始めたら中断してはいけない。
癌の人をヒーリングするときは結界を張らないといけない。
ヒーリングは常に片手だけでやらないといけない。
手の向きが違うと良くない影響がある。
ヒーリング中に金属を身につけているといけない。
手は必ず浄化してからヒーリングする。
心身症の人はアチューメントが受けられない。

で従来から教えられてきた禁止令が、そのままレイキにも移入されてしまったのです。儀式や浄化を必須としたり、クリスタル・金属の影響などを過度に心配するのもその例です。

私のレイキスクールには、他スクールで受講してから再受講に来る人もいます。これらの生徒が、他スクールで教えられた禁止令を伝えてくれていますので、一部を紹介しましょう。これらの禁止令を教わった生徒に「理由は聞いてみましたか」と尋ねると、「そのマスターが、自分がそのように教わったからだ、と言っていました」という場合が少なくありません。

恐怖心や心配心は非常に強力なマイナスのエネルギーを持っています。人を支配しコントロールすることが容易にできます。そして、それは強力に伝搬します。

あるマスターが「〜すると悪いことがある」「〜し

てはいけません」と言ったり、テキストに書いたりすると、それは容易に、かつ強力に生徒や読者に注入されます。

禁止令を教えると、教えた側は教えた気分になり、教わる側は教わった気分になるという面もあります。受け取った側は、あまり疑問にも思わず、自分で実験もせず、自分がマスターになったときに、今度は自分の生徒に伝えます。書籍であれば、それを読んだ多くの人が影響を受けます。そして、延々と受け継がれて広がって行きます。

この章で取り上げている西洋レイキのいろいろな歪みは、このようにして多くのレイキ実践者の中に浸透してしまったのです。

世の中の禁止令が全部悪いと言っているのではありません。

私はアロマテラピーの講師もしますが、アロマテラピーでは実証されて確立した禁止令があり、講義でそれは正確に教えます。禁止令は、実証して、確かめてゆかなければならないのです。レイキほど手軽に、かつ安全に実験できるものは多くないですが、それでも試してみない人のなんと多いことか。禁止令の持つマイナスのエネルギーが、いかに強力かを思い知らされます。

レイキの本当の姿というのは「心配しなくてもよいよ」「～してもよいよ」などのように、逆にいろいろな禁止令から解放してくれるものなのです。

そもそも、五戒（P．187）の一つに「心配すな」というのがあります。ヒーリングやセラピーをする時に、ああだこうだと、心配しなければならないことがたくさんあるようでは、完全に自己矛盾です。

今日では幸いにも、ほとんどすべてのマスターは五戒を教えていますが、自分が教えている禁止令が、五戒と矛盾していることに気が付いていないのはとても不思議です。

禁止令の呪縛から解放されて、心配心がなくなったとき、あなたにはレイキの純粋なエネルギーが豊富に流れるでしょう。もし自身がマスターになったときは、是非いろいろなことに疑問を向けて、自分で実験・確認してから、生徒に伝えてほしいと思います。

レイキはマイナスのエネルギーに勝る

レイキのエネルギーは決まった意図を持っていませんが、私たちの身の回りにある、多くのマイナスのエネルギーに勝っています。

マイナスのエネルギーとは、先ほどの項目で述べたような、心配心や恐怖心の他、感情的な怒り、悲しみ、恨み、妬みなどから生まれる気です。

アチューンメントを受けた人は、こういったマイナスのエネルギーからの影響を受けにくくなります。それは、自分の体を定常的にレイキエネルギーが流れるようになるためです。

しかし、西洋レイキではこのメリットを完全に理解していない面があります。アチューンメントを行うときに、受け手に金属類や宝石・クリスタル類をすべて外させたり、ヒーリングを受けるときにそうさせたり、さらにはヒーラー自身もそうしなさいと教える場合が少なくありません。これは全くの誤解です。

クリスタルなどの鉱物は、それ自体が独自のエネルギーを持っています。そのため、その鉱物の持つエネルギーをヒーリングに利用する手法もあります。金属はエネルギーの流れに影響を与える場合があります。

しかし、これが問題となるのは自分のエネルギーが少ないとか、低いという場合だけです。レイキマスターのように自分で安定したプラスのエネルギーの出せる人は、そういった影響を受けません。

伝統霊気では霊授を行う時に、金属やクリスタルは全く気にしませんし、実際、外さなくても影響はありません。

私もスクールを始めた当初は、アチューンメントの際にアクセサリー類をはずしてもらっていましたが、途中からそれは止めて、その後、何ら影響のないことは実証済みです。

こういったことを気にするのは、レイキが欧米のヒーリングの世界で普及したせいでしょう。アチューンメントを受けていないヒーラーは、自己のエネルギーが弱いために金属やクリスタルの影響を受けることもあるからです。

しかし、レイキではそのような心配は必要ありません。もしも、あなたがレイキマスターの場合は、金属やクリスタルも一緒にアチューンメントをしてあげるぐらいの気持ちで行えば良いのです。そもそも、レベルⅠを受けた段階の人でも、クリスタルにレイキをしてエネルギーを整えられるのですから。

他人と自分が調和している

世の中には、他人のために自分が犠牲になるとか、自分のために他人を犠牲にするとか、自分のお金が増えれば、その分失っている人がいるとか、とかく自分と他人の利益が相反するケースがよくあります。

レイキにはそれが全くありません。他人にレイキをしてあげると、自分の心身にも良い作用がありますし、レイキをすること自体で疲れることはありません。自分の利益と他人の利益が合致しているのがレイキの世界です。

エネルギーが不足している人がいれば、レイキを送ってあげれば良い。そしてそれは、自分にエネルギーを送ることにもなる。他人にレイキをすることは、自分のためにもなる。自分のためにも、他人にレイキをすると良いのです。

つまりレイキは、自己と他人がうまく調和している世界なのです。

精神世界では、自分と他人は表裏一体、もともと深いレベルでは自分と他人はつながっているという考えがあります。レイキは、その深いレベルで働いているエネルギーなのだと思います。

レイキは自力本願

伝統霊気では、私たちは素晴らしい力を持っていて、修養してゆけばその力を自ら発揮できるという、自力本願の考えがあります。

西洋レイキはこれとは逆に、私たちは非力で、低級な存在で、外から助けてもらったり、力を与えてもらうことで救われるという、他力本願の傾向が強いのです。これを端的に現わしているのが、西洋レイキのシンボルとマントラに対する理解です。

シンボルとマントラはレベルⅡで学びますが、これはレイキを使う上での大変有用なツールです。シンボルは単純な図形のようなもの、マントラは短い音です（以下、単にシンボルと表現します）。これらを、レイキを使うときに描き、唱えると、いろいろな効果が出るというものです。

欧米では、レイキのシンボルは神聖なもので、それ自体に強い力があり、シンボルが私たちに力を与えてくれる、だから効果が出ると考える傾向があります。これは普通の人の感覚からすると宗教的な感じがすると思います。

シンボルをそのように考えると、実際にいろいろな弊害を生み出します。

たとえば、レイキを使っている自分自身よりもシンボルの方が上に来てしまいます。効果を出しているのは自分ではなく、神聖なシンボルの力だということになります。自分の力ではないので、未来永劫シンボルに頼らざるを得なくなってきます。

手かざしを行う宗教では、教祖の手を象徴した道具を持っていないと実行できないとか、神聖な金属の玉を持っていないと使えないなどの例があります。シンボルが神聖な力を持っていて、それがないとレイキの効果が十分に出ないというのであれば、それは宗教だと思われても仕方ないでしょう。

そもそも、シンボルは人が工夫して作ったものです。西洋レイキには4つのシンボルがあります。それらは、古神道的な図形から加工したもの、仏教の梵字から加工したもの、日本の普通の漢字を加工したもの、そして日本の漢字の言葉そのものなどです。その文化や背景はマゼコゼですし､明らかに人為的な加工が施されています。これらは､それが神聖というよりも､ツールであるということを物語っていると思います。

さらに別な側面で見てみましょう。

シンボルは、特に海外で伝わってゆく中で、多少崩れてしまったり、修正されたりして、細かく調査すると膨大な数の変形が存在しています。そういったある程度の違いを持ったものを、皆それぞれ世界中で使って効果を出しているわけです。

それらがもしも神聖で、それ自体に力があるということになると、どれが本物かとか、どれが一番効果があるのかとか、自分が使っているものは大丈夫かとか、意味のない論争が生まれてしまいます。

本来のレイキでは、シンボルはあくまでツールですから、その人が使って効果を出していれば、多少の変形は関係ありません。そのような論争や心配は不要なのです。

誰にでも潜在力が眠っている

ここで注意していただきたいのは、私はシンボルとマントラに効果がないと言っているのではありません。シンボルは、その人の潜在能力を引き出すための重要なツールです。

私もシンボルを使っていますし、その効果も実感していますが、神聖だと思ったり、それ自体に力があると思って使っているわけではありません。その様に思わなくても、きちんと効果は出るのです。

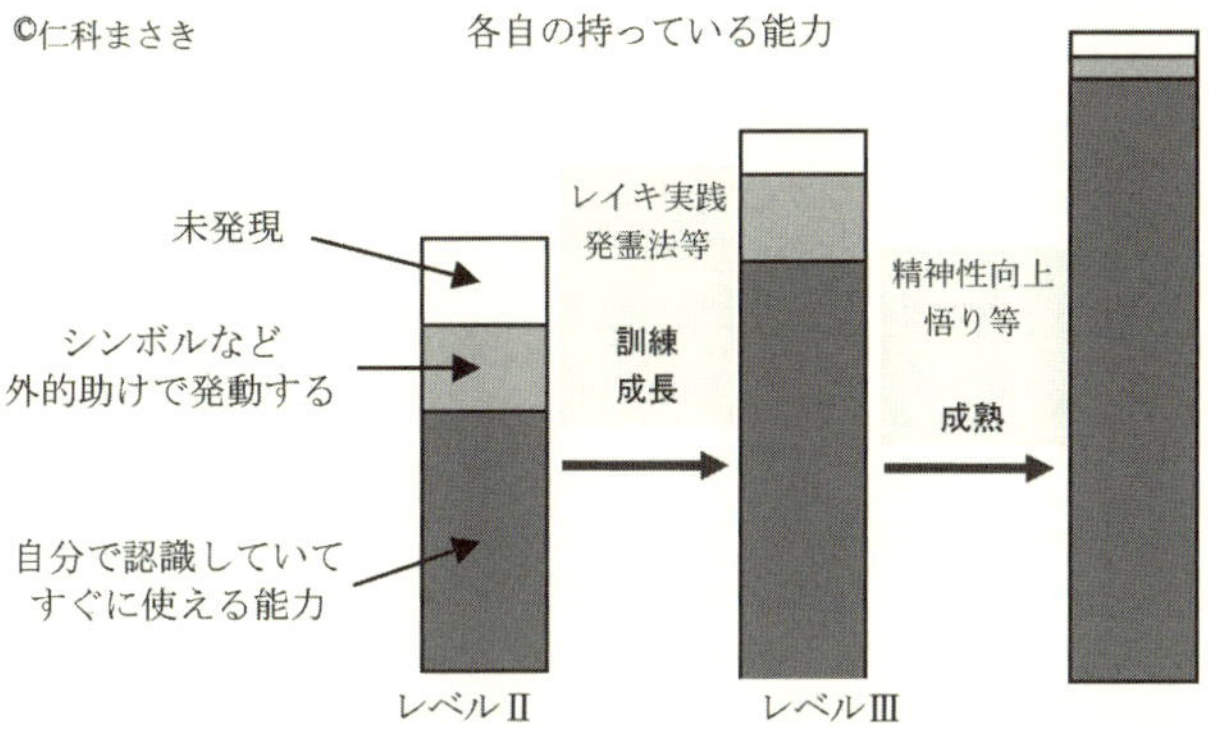

人間には多くの発揮されていない能力があります。そして、その人が潜在的に持っていても、発揮できていない部分を発現させてゆくのが、レイキの世界ともいえます。

ここで、シンボルの理解を深めてもらうために模式的な図で説明をします。これは各自の持っている能力を、棒グラフで単純化して表したものです。

濃い色で示したのは、自身で自分の力だと認識していて、すぐに独力で発揮できる部分です。これはその人の能力の一部分にしかすぎません。かなり修練した人でも、全部の潜在力を認識できずに、それを発揮していないものです。

淡色の部分は、独力では発揮できないが、誰かに助けてもらったり、たとえばおだてられたり、外的なツールを使ったりすると発揮できる部分です。火事場の馬鹿力や、お尻をたたかれると早く走れるなどもこれに当てはまります。この部分は、普通の人では大変に重要な割合を占めています。レイキのシンボルは、まさにこの部分に作用して、その人の潜在力を発現させるのです。

それ以外の白色の部分は、潜在力として持ってはいるが、それを発揮する方法がないという部分で、普通の人ならこれもかなりの割合があります。

図の左の状態からスタートして、練習や修練を積むと、全体の能力もアップしてゆきますし、自分で自分の力だと認識していて独力で使える割合もアップしてゆきます（図の中央の状態）。そして、さらに精神性が高まり、認識が格段に深まると、ツールや助けなしで、高い割合が独力で発揮できるようになります（図の右の状態）。その段階では、シンボルなどの助けは必要なくなってゆくものです。そして、それは極端に難しいことではありません。シンボルを正しく理解することで、その人の成長も促してくれるのです。

私自身は、レベルⅡでシンボルとマントラを教わったときは、それ自体に神秘性があって、それ自体が力を持っているという印象で教わり、そこに宗教臭さ・違和感を感じて、なかなか効果を感じることが難しかったのです。

しかし、レイキの理解が深まり、シンボルとマントラはあくまでその人の潜在的能力を引き出してくれるツールだと分かってからは、逆にその効果を実感できるようになりました。

私のレイキスクールでも、生徒にはその様に教えていますが、講座で練習をする段階から、シンボルの効果を実感される生徒が少なくないです。シンボルとマントラが効果を発揮するためには神秘性は必要ないのです。

隠すことも、効果を引き出すポイントだった

シンボルとマントラはツールとはいえ、大事なものではないという意味ではありません。シンボルを神聖化し、秘伝とし、門外不出とする傾向があり、一方でそれに違和感を感じて、正義感からシンボルとマントラをネットや書籍で公開してしまっている人もいますが、これも逆に大きな問題です。

まず、こういった行為は、人が大事に使っているものを、不特定の人の視線に曝してしまうという、人の気持ちをまったく無視した行為です。喩えになりますが、スポーツ選手は自分の道具をとても大切にして、それ自体が力を与えてくれるわけではありませんが、手入れをして、強い愛着を持っているでしょう。その道具を、秘密でないとはいえ、無断で不特定の目に暴露されたら、何ともイヤな気持ちになります。シンボルを公開してしまうのは、これと同じことだと思います。

シンボルの公開には、もっと重要な問題があります。シンボルには暗示の作用があるので、

普段は目にしたことがなく、少し変わった形で奇妙性があったほうが、各自の眠っている潜在力に刺激を与えます。

つまり、普段あまり目にしない非日常的な形や音によって、非日常的な部分である潜在力を刺激しているのです。大事に扱って、非日常性を有効に活用したほうがシンボルの効果が出ます。これは実は、隠して価値を高めるという東洋的なテクニックでもあるのです。

一部の欧米人は、何でもかんでも公開して、秘密がないことが大事だと考える傾向がありますが、日本の文化は隠すことによって、その真価を高めるということを知っています。

レイキのシンボルは、きちんと非日常性を確保して、大切に扱うことで、その効果が最大限に発揮されるのです。

シンボルとマントラは潜在力を刺激して、発現させるという効果の他に、「治したい」「このように作用させたい」というレイキの送り手の気持ちや念を、整えて送るという作用もあります。ツールとして正しく認識して使ってゆけば、自身の潜在力を発揮してゆけますし、同時に本来の自分の力を伸ばしてゆくこともできます。

自由に手を当てればよい

レイキの自由さは、手の当て方にも現われています。

レイキでは手を当てる場所や当て方は全く自由です。素朴なやり方としては、悪い箇所、コッている筋肉、痛みや不快感のある場所へ当てればよいのです。ヒビキが分かれば、症状に出ていなくても、レイキを活用することができます。自己ヒーリングでは、悪いと感じる所以外に、気持ちがよいと感じる所に手を当ててもよいです。自由に使ってこそ、レイキの実力が発揮できるのです。

ところが、西洋レイキでは、この自由さが束縛され、好ましくない事態が生まれてしまっています。これは、あらかじめ決められた体の箇所に、決められた順番で手を当ててゆくという「スタンダードポジション」を偏重することに原因があります。

スタンダードポジションを開発したのは高田先生です。それ以前の伝統霊気では、心身の状態とは無関係に決められた「ポジション」という概念自体がありませんでした。

このスタンダードポジションを使えば、知識や経験がなくても、ある水準のレイキヒーリングができます。レイキが初めての人に「さあ、手を当ててごらん」と言っても、戸惑いが大きいと思います。そこに有効なガイドラインを提供したのは大きな意味があります。スタンダードポジションは、主にヒーリングやリラクゼーションを目的として使われたり、ホリスティック【○】な意味合いで全身のバランスを整えたり、時代の要望にもマッチして急速に浸透してゆきました。

しかし、スタンダードポジションが万能のように扱われたことで問題が生じます。

手を当てる時には、スタンダードポジションに従わないといけないような誤解が生まれ、本来のレイキの自由さが奪われて行きます。初心者でも一定レベルのヒーリングができるのはよいのですが、さまざまな身体の不調に適切に対応するのにはまったく不十分です。

レイキは効果が出ないとか、レイキはヒーリング程度にしか使えないと言っている人たちは、このスタンダードポジションの効果しか知らないケースがあります。

技術的には、スタンダードポジションに束縛された人たちは、そのままそのレベルに留まってしまうという「レイキヒーラー総初心者化」とも呼べる現象も生んでしまいました。

そもそも、代替療法の真髄は個別対処にあります。個人個人の性格、特殊性、体質、そのときの状態を反映させたセラピーにこそ、西洋医療を補える利点があるのです。今日の多くのレイキヒーリングは、誰に対しても画一的なスタンダードポジションを実施することで、レイキの利点をわざわざ捨ててしまっているのです。

実際の状況は、さらにこれを通り越してしまっています。スタンダードポジション自体に細かいルールや決めごとを追加して、画一化して、がんじがらめにしているのが見られます。ポジション毎に、ここは3分とか、あそこは5分とか、手を当てる時間を細かく指定しているケース、あるいは手の位置や向きを厳格にしたり、順番を厳格にしたりする場合もあります。中には、スタンダードポジションを一旦スタートしたら、途中で中断してはいけないと、禁止令をも盛り込んでいるスクールもあります。

このように教わった生徒は、がんじがらめにされて、日常でのレイキの使用を極端に阻害されてしまっています。これでは、この本で紹介しているレイキ本来の実力が発揮できなくなってしまいます。

私自身は、スタンダードポジションそのものを否定するつもりはまったくありません。初心者には有効なガイドラインです。私のレイキスクールでは、最初はスタンダードポジションで

【O】身体は部分部分の構成要素だけで動いているのではなく、精神を含めた全体の調和、バランス、統合があって、初めて正常に働くという考え。

練習しますし、その方が生徒のとまどいが少ないことは実証済みです。

そして、スタンダードポジションは体全体のバランスを図るには良い方法です。私自身、セラピーやヒーリングの雛形として、実際に頻繁に使っています。

ヒビキの感知を同時に行いながら、手を当てる場所を調整したり、順番を変化させたり、あるいは頭部だけに使ったり、下半身だけに使ったりと、臨機応変に使っています。画一的なスタンダードポジションに固執すると、レイキの自由さ、そして効果や可能性を大きく摘み取ってしまいます。スタンダードポジションを柔軟に使用することが、レイキの可能性を広げてゆきます。

レイキは技法ではなく、生き方である

レイキは療法であり、技法であると考えるのは自然かもしれません。しかし、レイキの理解があるレベルに達すると、それは非常に一面的、表面的なとらえ方であると気がつくようになります。

私の受講生でレベルⅢを受けたあとに「レイキは技法ではなくて、生き方だったのですね」と表現してくれた人がいました。実はこれがレイキの神髄、本質ともいえる部分なのです。単純に手を当てるということ自体、それを心を穏やかにして自然体で実行すれば、実はレイキは

生き方になるのです。

他人に何かをしてあげよう、この人の力になってあげようという優しい気持ち、結果を相手に任せようという謙虚な心持ち、相手に喜んでもらう嬉しさ、自分にもエネルギーが流れるありがたさ、そういった素晴らしい気持ちや感謝が自分の生き方に反映されてきます。レイキをするという行為、レイキをしながら起こる心持ち、自然と生まれる相手に対する感謝の気持ち、自分に対するポジティブなイメージ、このような素晴らしいことができるように作られた自然や宇宙に対する感謝や敬意、これらは技法ではありません。精神世界という単語で表現できるものでもありません。これらは生き方そのものと言えるのです。

参考文献リスト

（1）臼井霊気療法学会編　「霊気療法のしおり」1974年
（2）臼井霊気療法学会編　「霊気療法必携」初版1920年代
（3）土居裕「癒しの現代霊気法」1998年ISBN=4906631347
（4）望月俊孝「癒しの手」1995年ISBN=4884814207
（5）富田魁二「霊気と仁術」1933年ISBN=4894223368
（6）山口忠夫　「直傳靈氣」2007年ISBN=4862202616
（7）タンマヤ　ホナヴォグト（著）「レイキを活かす」1998年ISBN=4882821982
（8）チャーリッシュ　&　ロバートショー（著）「実践レイキ」2006年ISBN=4882824949
（9）Pamela Miles「REIKI A Comprehensive Guide」2006年　ISBN=1585424749
（10）野口晴哉「風邪の効用」1984年ISBN=4480038078
（11）望月俊孝「超カンタン癒しの手」2001年ISBN=4812701430
（12）高藤聡一郎「秘術！　超能力気功法奥義」1986年ISBN=4051034356
（13）John Gray & Lourdes Gray著「Hand to Hand」2002年ISBN=1401049605

あとがき

レイキは一般の人にはまだまだ縁の薄いものですが、ヒーリングやスピリチュアルな分野では、知らない人がいないぐらいの普及を見せています。最近では、テレビ番組に刺激されたスピリチュアルブームの中で、さらに広がりを見せています。

しかし実は、これはレイキの実力の一部にしかすぎません。

レイキは、もともと代替療法として生まれたものですが、海外へ伝わって広まる過程で、その治療的な側面が縮小してしまいました。今日普及しているレイキは、その適用がヒーリングやスピリチュアルな分野に限定され、本来の力が発揮されていません。欧米では、レイキを深く実践した人達によって、徐々に病院や施設に導入されるケースも始まっています。

私自身は、レイキをアロマテラピーの補助として使い始めましたが、理解が深まるにつれて、その真の力に驚嘆することが多くなりました。そして、誰にでも出来るという普遍性、シンプルさ、安全性、高い効果などから、家族の健康を維持してゆくのにこれ以上のものはないと、ハッキリと確信を持ちました。しかし現実には、日本ではそういった目的で使われる割合が、まだまだ少ないのです。こんなに役に立つものをどうしてみんな知らないのか、どうしてもっと多くの人が使わないのか。そして今、レイキが出来る人達は、なんでもっと家族に使わないのか。この本は、そんな私の焦燥感から生まれたともいえます。

これまで出版されてきたレイキの本は、欧米日本を問わず、スピリチュアルな傾向を持った人達に向けたものです。事実レイキは、そのような人達に支持され、世界中に広まっていったのです。

しかし逆に、そういった本をごく普通の人達が手に取るという機会は、非常に少ないのです。また、もしも自分がレイキを使っていて、普通の友人にも是非レイキを知ってほしい、使ってほしいと思っても、これらのスピリチュアル傾向の本を渡すのは躊躇してしまいます。なぜなら、そういった分野で使われている言葉は、一般の人の感覚からはかけ離れた面があるからです。今日普及しているレイキの本には、次のような言葉が端々に見られます。

宇宙、生命エネルギー、宇宙エネルギー、オーラ、チャクラ、チャンネル、光、ハイアーセルフ、インナーチャイルド、超意識、シンクロニシティ、カルマ、浄化、グラウンディング、アファメーション、波動、など。

精神世界やスピリチュアルなことが好きな人たちは、こういった言葉を好んで使い、何の抵抗もなく受け入れられますが、普通の人の感覚ではどうしても抵抗があります。

私自身は、精神世界は好きですが、感覚としては普通の人の感覚に近いと思います。私が最初にレイキの本を読んだときには、こういう表現は正直なところ「引いて」しまいました。しかし、レイキはこういったスピリチュアルな用語を使って表現する必要はないのです。

そもそも、本来の伝統霊気の考え方は普通の日本人の感覚に合ったものですから、スピリチュアルな言葉や飾りがなくても、十分に理解できるものです。むしろそのほうが、レイキの本質を捉えやすいと私は思います。

誰にでも出来るものが、特殊な用語を理解しないと使えないはずがありません。普通の人の手に取ってもらい、普通の人の感覚で違和感がなく、家庭内療法として役立ててもらうためのレイキの本、それが私の欲しかったものです。

またこの本は、すでにレイキを使われている人達にも、是非読んで頂きたいと思います。もしも、レイキをあまり日常で使っていない、自分の家族の健康維持に使っていない、そんな状況でしたら、この本の内容は大きな助けになると確信しています。

レイキは精神世界やスピリチュアルな分野では、もう十分に広がりました。これからは、レイキをそのような分野のマニアックなヒーリングとしてだけではなくて、一般の療法として普及してほしい、ごくごく普通の家庭で使ってほしい、そういう思いをこの本に込めたつもりです。

これからは、レイキが家庭内療法や代替療法として活躍する時代であるべきなのです。そうでなければならないと、私は強い信念を持っています。

もちろん、これは数年で実現できるようなものではありません。十年、数十年かかって当然でしょう。そしてそれは、地道に進めてゆくのがよいでしょう。この本は、そのための第一歩です。


最後に、これまで私を陰に陽に支えてくれた、また支えてくれている様々な人達と私の家族に大きな感謝をしたいと思います。

私のセラピストやレイキマスターとしての活動は、一人一人のクライアントさん、一人一人の生徒さんの無限の価値を持ったエネルギーがあって初めて可能になったものです。

私の妻、父、母が、この本の原稿を時間を割いてチェックしてくれました。また、一部の受講生の方々からは、貴重な意見やフィードバックを頂いて、この本は完成に至りました。すべての出会い、すべての助けに感謝いたします。

仁科まさき

著者紹介

仁科まさき

理学博士
レイキマスター、 直傳靈氣 大師範
アロマセラピスト
（東京アロマテラピーカレッジ）
英国ＩＴＥＣ アロマテラピー＆
解剖生理学 ディプロマ
心理カウンセラー
（アイディアヒューマンサポートサービス）
レイキスクール「香りの森」を運営

1965年生。生まれも育ちも東京都武蔵野市。小さい頃から動物や天体といった自然と触れあいながら育つ。大学院修了後、各種の研究装置の開発に携わる。その後、セラピーの一端に触れて、人間自体も自然、小宇宙であり、奥が深いものであること。そして、人と関わることの素晴らしさに気付き、セラピーの領域に進む。アロマテラピー、カウンセリング等の経験を経て、レイキに出会い、2003年よりアロマテラピーやレイキを使ったサロン＆スクール「香りの森」を運営。現在に至る。

E-mail　aroma-forest@messia.com
FAX　03-6740-6062

マイホーム・レイキ

あなたにもある、家族を癒す優しい力

2009年5月8日　初版第1刷発行
2015年4月15日　　　第5刷発行

著　者　仁科 まさき
発行者　東口 敏郎
発行所　株式会社ＢＡＢジャパン
〒151-0073 東京都渋谷区笹塚1-30-11 中村ビル
TEL　03-3469-0135
FAX　03-3469-0162
URL　http://www.bab.co.jp/
E-mail　shop@bab.co.jp
郵便振替 00140-7-116767
印刷・製本　図書印刷株式会社

ISBN978-4-86220-432-5 C2077

装丁：中野岳人　イラスト：yuu-akatuki

●● BOOK Collection

靈氣と仁術 富田流手あて療法

昭和8年発行の幻の名著、ここに完全復刻! 著者の冨田魁二は大正末に臼井式霊気療法を学んだ逸材。その類い希な能力は手当療法で多くの患者を快方に導き、高い治癒率を記録した。本書は氏の伝えた霊気の実際を知るだけでなく現在にも応用できる時代を感じさせない優れた内容です。

●富田魁二 著 ●四六変形判 ●290頁 ●本体2,800円+税

直傳靈氣 The Roots of REIKI — レイキの真実と歩み —

レイキ…ヒーリングのルーツ。 日本で生まれ、伝承された姿を伝える! 創始者・臼井甕夫（みかお）が、いかにして靈氣に目覚めたのか? そして、靈氣とともに一生を過ごした著者の母・山口千代子が、どのように靈氣を活用してきたのか? 「直傳」され、レイキで育てられた著者だから知っている、レイキの真実と歩みが一冊にまとめられた決定版! スピリチュアル・ヒーラー必携の書!!

●山口忠夫 著 ●四六判 ●200頁 ●本体1,600円+税

マンガでわかる!

キネシオロジー入門

「心の声を体に聞いてトラウマ解消!」 カウンセリングと筋肉反射をテストで潜在意識に潜む根本原因を探る。本書ではキネシオロジーの基礎とセラピーの事例をマンガで紹介。お医者さんもお薦めのセラピー・メソッドです。

●齋藤慶太 著 ●A5判 ●220頁 ●本体1,500円+税

筋肉反射テストが誰でもできる

1 からわかる! キネシオロジー

「心の声を体に聞いて健康で幸せになる」 腕を押して筋肉反射をテスト。健康状態や、意識の奥深くにある不調の原因を探って、心身ともに健康な状態に導く・・・。世界105 カ国以上に広がる代替療法をわかりやすく解説。

●齋藤慶太 著 ●A5判 ●192頁 ●本体1,500円+税

脳波にはたらきかけて健康になる

シータヒーリング

自分史上最高の状態になる究極のヒーリングメソッド!! シータヒーリングとは、施術者がシータ波（浅い睡眠状態）になり、クライアントの潜在意識にアクセスして、体全体のマイナス思考パターンを書き換えて悩みの根本をデリートすることによって、病気の改善や若返り、自己実現などが見込めるワークです。

●串田剛 著 ●四六判 ●212頁 ●本体1,400円+税

未来を視覚化して夢を叶える!

魂の飛ばし方

「タマエミチ修行」が今の自分を超越する力をよび醒ます。誰でもできる究極のイメージトレーニング法を紹介。記憶の逆まわし法、視覚の空間移動法、魂飛ばし法、夢見の技法、異邦人になりきる法、絵や文字による夢の物質化…etc

●中島修一 著 ●四六判 ●192頁 ●本体1,400円+税

●● BOOK Collection

秘伝式 からだ改造術《バージョンアップ》

「月刊秘伝」掲載した身体が内側から目覚める、秘伝式トレーニングメソッド集。小山一夫／平直行／佐々木了雲／中山隆嗣／真向法　佐藤良彦／井本整体　井本邦昭／池上六朗／皇方指圧　伊東政浩／松原秀樹／野口整体　河野智聖／ロルフィング　藤本靖／八神之体術　利根川幸夫

●月刊秘伝編集部 編　●B5判　●160頁　●本体1,500円+税

実践 武術療法　身体を識り、身体を治す!

武医同術――。 身体を「壊す」武術は、身体を「治す」療術にもなる。 古来より、武術家によって体系づけられた武術療法の叡智が、この一冊に凝縮！ 目次 ： 古流柔術と柔道整復術／関口流富田派整体術／石黒流骨法療術の妙技／ツボの世界と武的感性／武道に活かす整体の知恵／柔術が秘めた力／骨の読み方／武術活法の世界／その他　※ 付録殺活術の歴史

●「月刊秘伝」特別編集　●A5判　●200頁　●本体1,600円+税

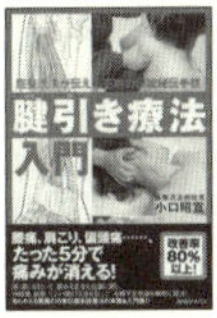

腱引き療法入門

筋整流法が伝える奇跡の伝統秘伝手技

知られざる驚異の日本伝統手技療法の実践＆入門書。ごく短い時間で、体の不調を根本原因から改善するいうとても効果の高い、幻の身体調整法を紹介。目次 ： 腱引きの魅力と筋整流法／筋整流法･腱引き療法の基本的な考え方／筋整流法の施術の概要／基本施術（初級）の流れ／簡単･筋整流法体操／その他

●小口昭宣 著　●A5判　●224頁　●本体1,600円+税

仙骨の「コツ」は全てに通ず 仙骨姿勢講座

骨盤の中心にあり、背骨を下から支える骨･仙骨は、まさに人体の要。これをいかに意識し、上手く使えるか。それが姿勢の善し悪しから身体の健康状態、さらには武道に必要な運動能力まで、己の能力を最大限に引き出すためのコツである。本書は武道家で医療従事者である著者が提唱する「運動基礎理論」から、仙骨を意識し、使いこなす方法を詳述。

●吉田始史 著　●四六判　●160頁　●本体1,400円+税

声の力が脳波を変える、全てが叶う! 倍音セラピー CD ブック

人気シンガーソングライターの楽曲と唄声が潜在意識に働きかけ、自己実現･疲労回復･健康を叶えます。また自分の声からもハッキリとした倍音声が出てきます。BGMとして聞き流すだけでもシータ波が出てきます。★付録 CD：全 8 曲（62 分）唄：音妃／ピアノ演奏：高橋全

●音妃 著　●A5判　●136頁　●本体1,600円+税

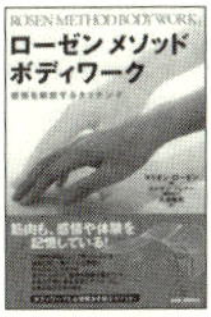

ローゼンメソッド・ボディワーク

感情を解放するタッチング

ボディワークと心理療法を結ぶメソッドとして注目されるローゼン・タッチは著者の長年にわたる経験から生まれた、米国の代表的なボディワーク。人に優しく触れるという最古のコミュニケーション手段で、身体と心の奥底につながります。

● M･ローゼン 著／ S･ブレナー 執筆協力／久保隆司 訳
●四六判　●232頁　●本体1,500円+税